초등 수 완성



# 교과특강

초1

# A2

숫자 카드

에듀히어로
Edu HERO

"진짜 히어로는 우리 아이들입니다!"

에듀히어로는
우리 아이들이 밝고 건강한 내일을 꿈꿀 수 있도록
긍정적이고 효과적인 교육 서비스를 제공하는 것을
최우선 목표로 하고 있습니다.

그 존재만으로도 든든한 히어로처럼 아이들의 곁에서 힘이 되어주고,
나아가 아이들 각자가 스스로의 인생 속 히어로가 될 수 있도록

우리는 진심과 열정을 다해 아이들과 함께 할 것을 약속 드립니다.

네이버 카페

교재 상세 소개와 진단 테스트
및 유용하게 풀 수 있는
학습 자료를 다운로드 해 보세요.

인스타그램

에듀히어로 인스타그램을
팔로우하시면 다양한 이벤트와
신간 소식을 빠르게 만나보실
수 있습니다.

카카오톡 채널

자녀 수학 공부 상담 및
자유로운 질문을 남겨 주세요.
함께 고민하고
답변해 드리겠습니다.

히어로컨텐츠 HEROCONTENS

발행일: 2022년 12월 발행인: 이예찬
기획개발: 두줄수학연구소
디자인: 4BD STUDIO 삽화: 1000DAY
발행처: 히어로컨텐츠
주소: 서울특별시 금천구 서부샛길 632, 7층(대륭테크노타운5차)
전화: 02-862-2220 팩스: 02-862-2227
지원카페: cafe.naver.com/eduherocafe 인스타그램: @edu__hero 카카오톡: 에듀히어로

## 초등 수학 핵심파트 집중 완성 교과특강

수학을 잘 하기 위해서는 1) 수와 연산 2) 도형 3) 측정 4) 규칙성 5) 자료와 가능성 등 초등 수학 5대 학습 영역을 고르게 학습해야 합니다.

다른 교과 과목에 비해 많은 시간을 수학을 학습하는 데 할애하고 있지만 아쉽게도 대부분은 연산 영역에 편중되어 있습니다.

최근 들어 '도형' 등 연산 이외의 다른 영역으로 학습을 확장하는 교재들이 출간되고 있지만 여전히 학년별로 다양한 학습 영역과 필수 주제를 체계적으로 안내해 주는 학습지는 많지 않은 것이 현실입니다.

그런 이유로 교과특강은 학년별 필수 주제를 기본 개념부터 응용, 사고력까지 충분하게 학습하고 훈련할 수 있도록 개발되었습니다

수학을 잘 하고 싶은 학생들에게 노력한 만큼의 성장을 이루어내는 데 교과특강은 좋은 토양과 밑거름이 되어줄 것입니다.

## 초등 수학 핵심파트 집중 완성 교과특강은

**1. '자료 해석 능력'을 집중적으로 키웁니다.**

앞으로의 학습은 주어진 표과 그래프를 보고 그 의미를 해석하고 추론하는 '자료 해석 능력'을 요구합니다. 실제로 초등 전학년 뿐만 아니라 중등 과정에서도 '자료 해석'은 학습자의 문제해결력을 확인하는 중요한 소재가 되고 있습니다. 다양한 표와 그래프를 이해하고 해석하는 학습은 초등 과정부터 미리 준비하고 집중적으로 훈련할 필요가 있습니다.

**2. '측정', '규칙성' 등 필수 영역임에도 쉽게 지나칠 수 있는 주제를 체계적으로 학습합니다.**

길이, 무게, 시간, 어림하기 등 초등 과정에서 쉽게 지나치기 쉬운 '측정'과 추론 능력을 길러주는 '규칙성'을 집중적으로 학습합니다.

**3. 복습과 예습으로 학년과 학년 사이의 징검다리 역할을 합니다.**

1학년에서 2학년, 2학년에서 3학년, 3학년에서 4학년 등 학년이 올라갈수록 특정 영역에서 수학이 갑자기 어려워지는 순간이 옵니다. 교과특강은 각 학년에서 반드시 짚고 넘어가야 하는 주제를 복습하면서 다음 학년을 위한 예습까지 할 수 있도록 개발되었습니다.

**4. 문제해결력과 사고력을 길러줍니다.**

기본적인 개념을 바탕으로 이를 응용하고 활용하는 문제해결력과 생각하는 힘을 길러줍니다.

## 초등 수학 핵심파트 집중 완성 **교과특강**은

7세부터 6학년까지 총 7단계 21권(단계별 3권)으로 구성되어 있으며 각 권은 하루에 1장씩 주 5회, 총 4주간 체계적으로 학습할 수 있습니다.

매주 5일차의 학습이 끝난 뒤엔 '생각더하기'를 통해 창의력과 사고력을 기르고, 4주의 학습이 끝난 뒤엔 '링크'와 '형성평가'로 관련 주제를 학습하고 교과 수학을 완성할 수 있습니다.

| 대 상 | 단 계 | 구 성 |
|---|---|---|
| 7세 ~ 1학년 | P | P1, P2, P3 |
| 1학년 | A | A1, A2, A3 |
| 2학년 | B | B1, B2, B3 |
| 3학년 | C | C1, C2, C3 |
| 4학년 | D | D1, D2, D3 |
| 5학년 | E | E1, E2, E3 |
| 6학년 | F | F1, F2, F3 |

### <교과 수학 시리즈 A단계 로드맵>

에듀히어로의 교과 수학 시리즈를 체계적으로 학습하기 위한 로드맵입니다.

예습을 하며 집중적으로 학습하려면 '영역별 집중 학습'을,

교과서 진도에 맞추어 학습하려면 '교과 진도 맞춤 학습'을 권장드립니다.

[영역별 집중 학습]

| 1월 | 2월 | 3월 | 4월 | 5월 | 6월 |
|---|---|---|---|---|---|
| 교과연산 A0, 교과도형 A1 | 교과연산 A1, 교과도형 A2 | 교과연산 A2, 교과도형 A3 | 교과연산 A3, 교과특강 A1 | 교과특강 A2 | 교과특강 A3 |

[교과 진도 맞춤 학습]

| 1월 | 2월 | 3월 | 4월 | 5월 | 6월 | 7월 | 8월 | 9월 | 10월 |
|---|---|---|---|---|---|---|---|---|---|
| 교과연산 A0 | 교과도형 A1 | 교과연산 A1 | 교과도형 A2 | 교과연산 A2 | 교과도형 A3 | 교과연산 A3 | 교과특강 A1 | 교과특강 A2 | 교과특강 A3 |

## **교과특강**은 교과 수학을 완성합니다.

주제별 학습

생각더하기

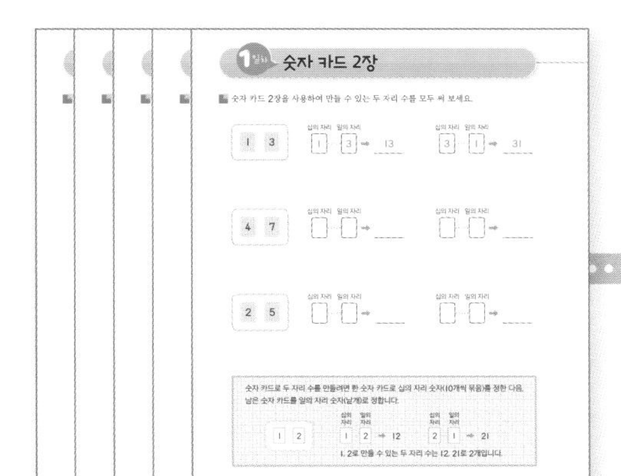

초등 수학을 주제별로 집중 학습합니다. 각 주차의 마지막에 있는 **생각더하기**로 문제해결력을 기릅니다.

링크

형성평가

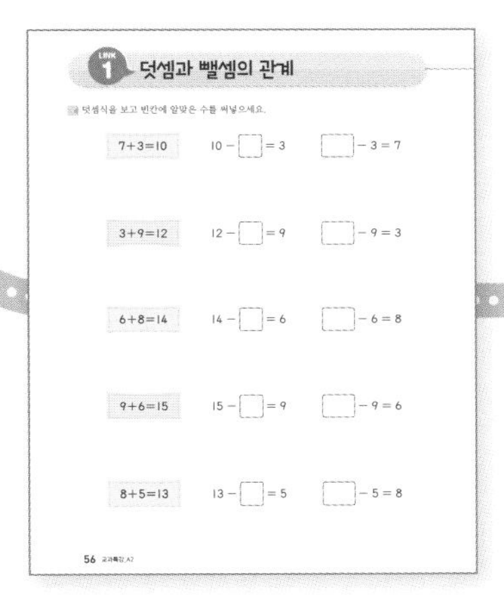

주제별 학습과 연결하여 사고력과 창의력을 향상시킬 수 있는 내용을 학습합니다.

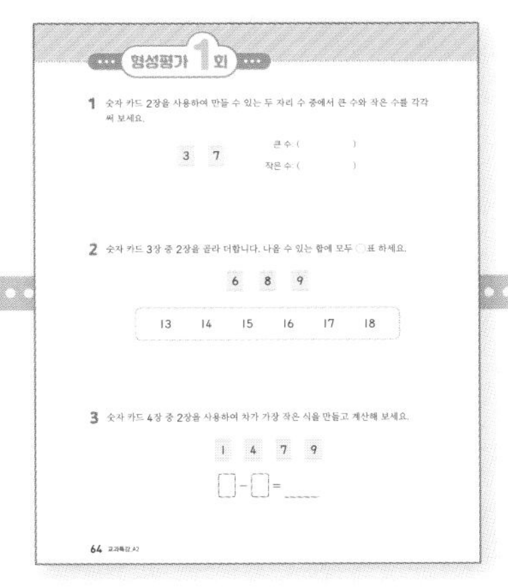

2회의 형성평가로 배운 내용을 잘 알고 있는지 확인합니다.

# 이 책의 차례

1 주차

# 두 자리 수

# 1일차 숫자 카드 2장

숫자 카드 2장을 사용하여 만들 수 있는 두 자리 수를 모두 써 보세요.

숫자 카드로 두 자리 수를 만들려면 한 숫자 카드로 십의 자리 숫자(10개씩 묶음)를 정한 다음, 남은 숫자 카드를 일의 자리 숫자(낱개)로 정합니다.

1 2

십의 자리 일의 자리: 1 2 ➡ 12

십의 자리 일의 자리: 2 1 ➡ 21

1, 2로 만들 수 있는 두 자리 수는 12, 21로 2개입니다.

월 일

숫자 카드 2장을 사용하여 만들 수 있는 두 자리 수를 모두 써 보세요.

3 4

3 4

5 7

8 9

1 6

3 8

2 4

# 2일차 숫자 카드 3장

숫자 카드 3장 중 2장을 사용하여 만들 수 있는 두 자리 수를 모두 써 보세요.

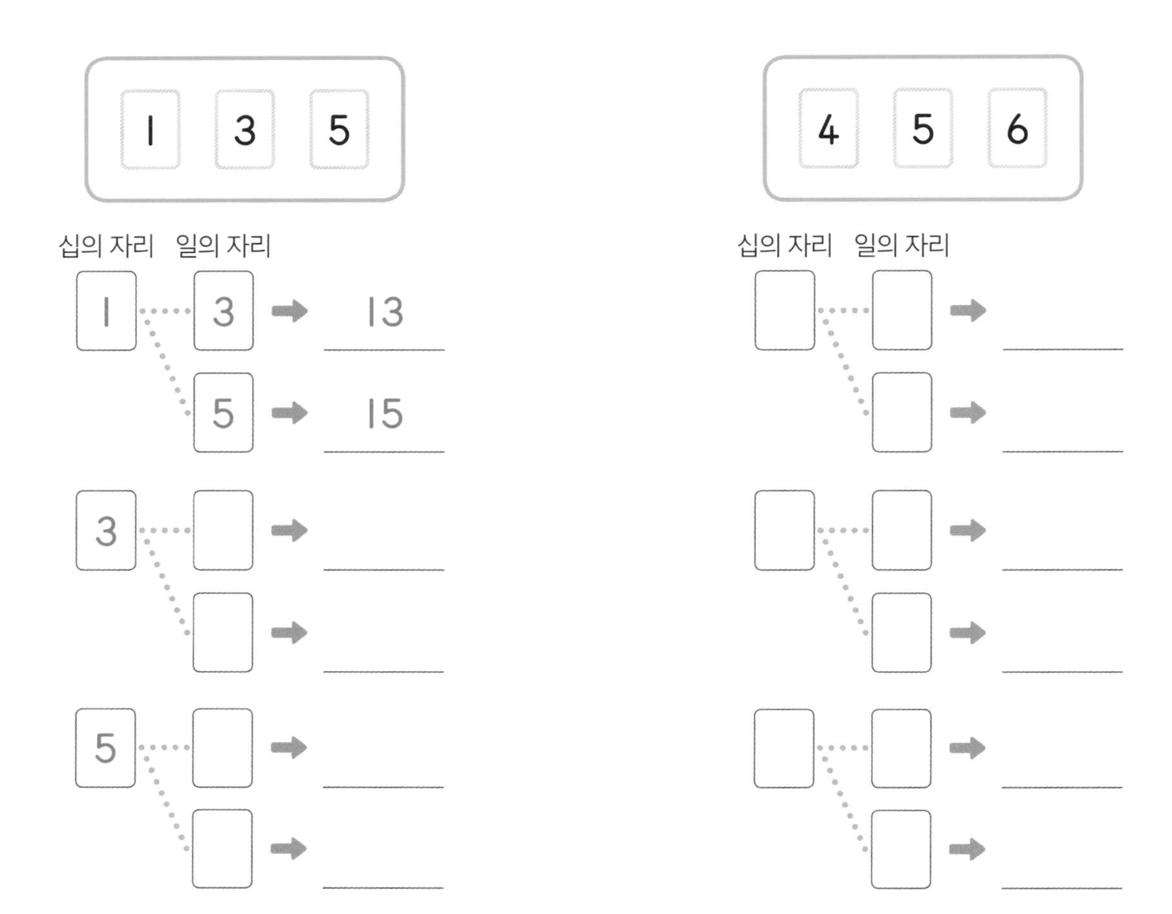


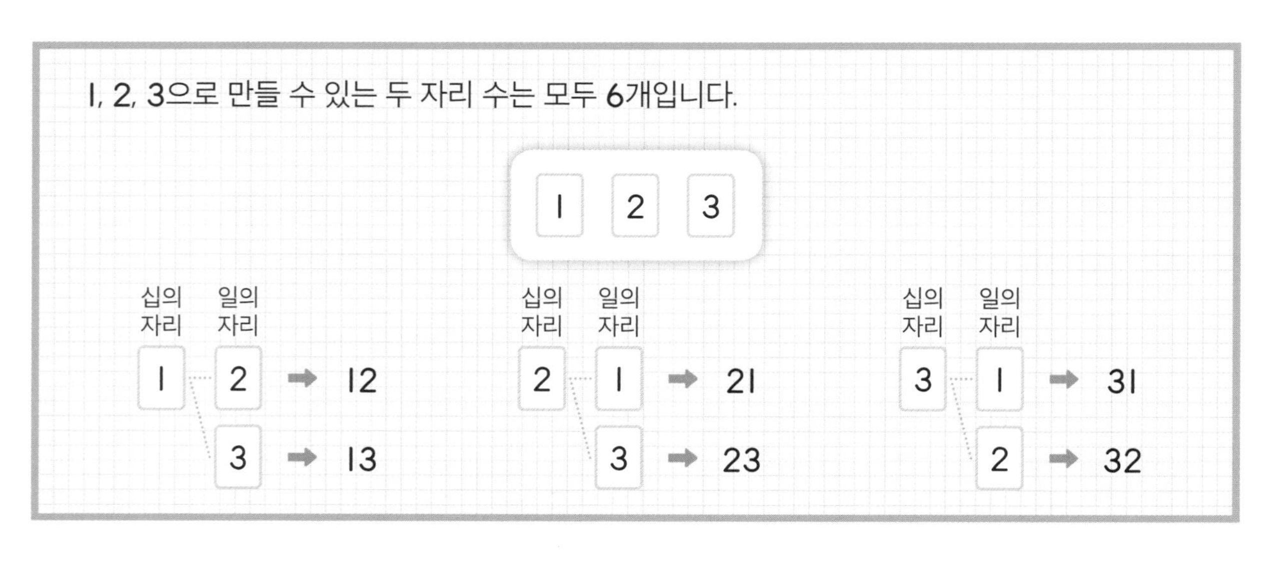

1, 2, 3으로 만들 수 있는 두 자리 수는 모두 6개입니다.
1 2 3
십의 자리 일의 자리
1 2 → 12
3 → 13
2 1 → 21
3 → 23
3 1 → 31
2 → 32

숫자 카드 3장 중 2장을 사용하여 만들 수 있는 두 자리 수를 모두 써 보세요.

2 4 6

| 2 | |
| 4 | |
| 6 | |
| 2 | |
| 4 | |
| 6 | |

1 5 8

3 5 7

6 8 9

# 3일차 0이 있는 숫자 카드

숫자 카드 3장 중 2장을 사용하여 만들 수 있는 두 자리 수를 모두 써 보세요.

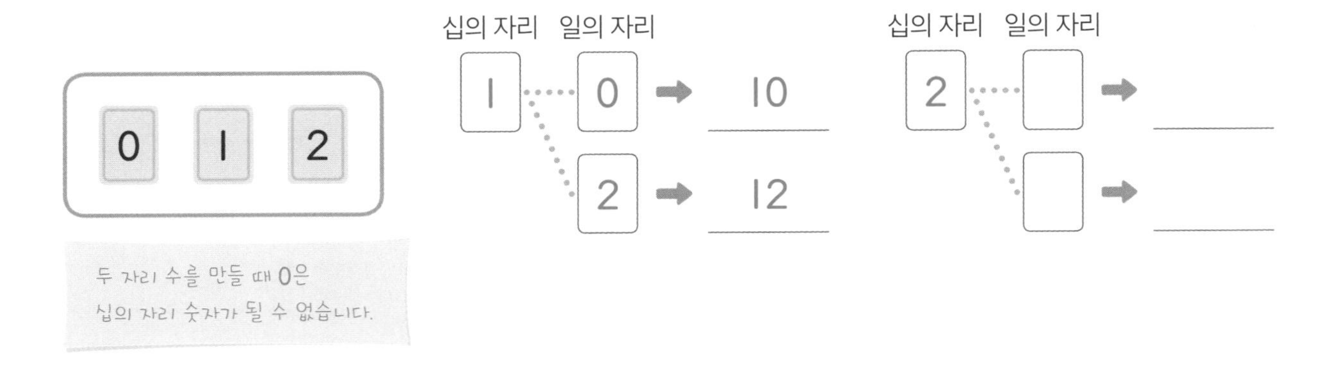


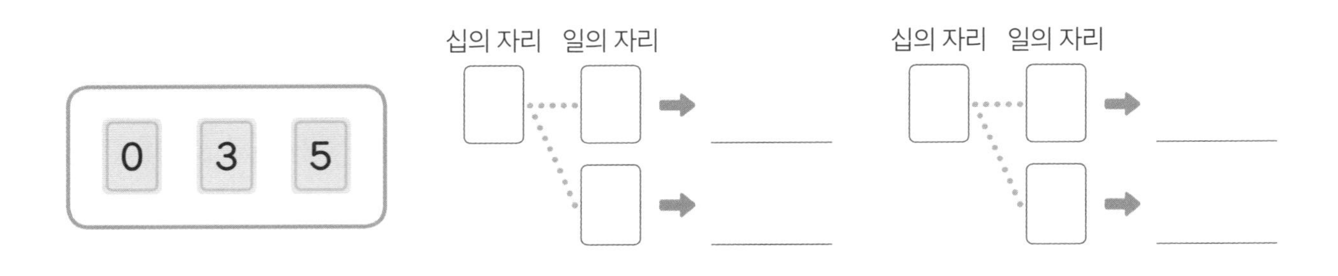


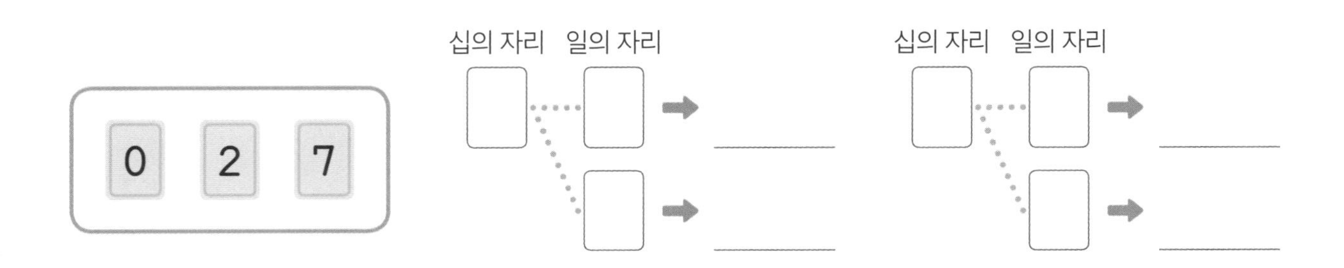

숫자 카드 3장 중 2장을 사용하여 만들 수 있는 두 자리 수를 모두 써 보세요.

| | | | | |
|---|---|---|---|---|
| 0 2 4 | 2 | 2 | 4 | 4 |
| 0 5 8 | | | | |
| 0 6 7 | | | | |
| 0 3 9 | | | | |
| 0 1 6 | | | | |

## 4일차 큰 수와 작은 수 (1)

숫자 카드 1, 4, 6이 한 장씩 있습니다. 물음에 답하세요.

1 4 6

숫자 카드 2장을 사용하여 만들 수 있는 두 자리 수를 모두 써 보세요.

□, □, □, □, □, □

위에서 만든 두 자리 수를 가장 작은 수부터 차례로 써 보세요.

□, □, □, □, □, □

만들 수 있는 두 자리 수 중에서 둘째로 작은 수는 무엇인가요?

□

월 일

숫자 카드 0, 3, 7이 한 장씩 있습니다. 물음에 답하세요.

0 3 7

숫자 카드 2장을 사용하여 만들 수 있는 두 자리 수를 모두 써 보세요.

☐, ☐, ☐, ☐

위에서 만든 두 자리 수를 가장 큰 수부터 차례로 써 보세요.

☐, ☐, ☐, ☐

만들 수 있는 두 자리 수 중에서 둘째로 큰 수는 무엇인가요?

☐

# 5일차 큰 수와 작은 수 (2)

숫자 카드 3장 중 2장을 사용하여 만들 수 있는 두 자리 수 중에서 가장 큰 수와 둘째로 큰 수를 각각 써 보세요.

2 3 4

가장 큰 두 자리 수: □

둘째로 큰 두 자리 수: □

십의 자리 숫자가 클수록 큰 수입니다.

9 3 5

가장 큰 두 자리 수: □

둘째로 큰 두 자리 수: □

0 2 8

가장 큰 두 자리 수: □

둘째로 큰 두 자리 수: □

1 0 5

가장 큰 두 자리 수: □

둘째로 큰 두 자리 수: □

숫자 카드 3장 중 2장을 사용하여 만들 수 있는 두 자리 수 중에서 가장 작은 수와 둘째로 작은 수를 각각 써 보세요.

7 6 5

가장 작은 두 자리 수: □

둘째로 작은 두 자리 수: □

십의 자리 숫자가 작을수록 작은 수입니다.

4 9 8

가장 작은 두 자리 수: □

둘째로 작은 두 자리 수: □

0 1 3

가장 작은 두 자리 수: □

둘째로 작은 두 자리 수: □

7 2 0

가장 작은 두 자리 수: □

둘째로 작은 두 자리 수: □

# 두 자리 수의 합

주어진 숫자 카드 3장 중 2장을 사용하여 두 자리 수를 만듭니다. 만들 수 있는 가장 큰 두 자리 수와 가장 작은 두 자리 수의 합은 얼마일까요?

0 4 5

두 수의 합: ☐

2
주차

# 조건에 맞는 수

# 1일차 십의 자리와 일의 자리

숫자 카드 3장 중 2장을 사용하여 조건에 맞는 두 자리 수를 모두 만들어 보세요.

1 4 9

십의 자리 숫자가 1인 수: 14, 19

십의 자리 숫자가 4인 수: ,

십의 자리 숫자가 9인 수: ,

3 5 6

십의 자리 숫자가 3인 수: ,

십의 자리 숫자가 5인 수: ,

십의 자리 숫자가 6인 수: ,

0 2 5

십의 자리 숫자가 2인 수: ,

십의 자리 숫자가 5인 수: ,

숫자 카드 3장 중 2장을 사용하여 조건에 맞는 두 자리 수를 모두 만들어 보세요.

2 7 8

일의 자리 숫자가 2인 수: 7 2, 8 2

일의 자리 숫자가 7인 수: ,

일의 자리 숫자가 8인 수: ,

1 2 7

일의 자리 숫자가 1인 수: ,

일의 자리 숫자가 2인 수: ,

일의 자리 숫자가 7인 수: ,

0 3 4

일의 자리 숫자가 0인 수: ,

일의 자리 숫자가 3인 수:

일의 자리 숫자가 4인 수:

# 2일차 보다 큰 수와 작은 수

조건에 맞는 두 자리 수를 찾아 모두 ◯표 하세요.

70보다 작은 수 ……

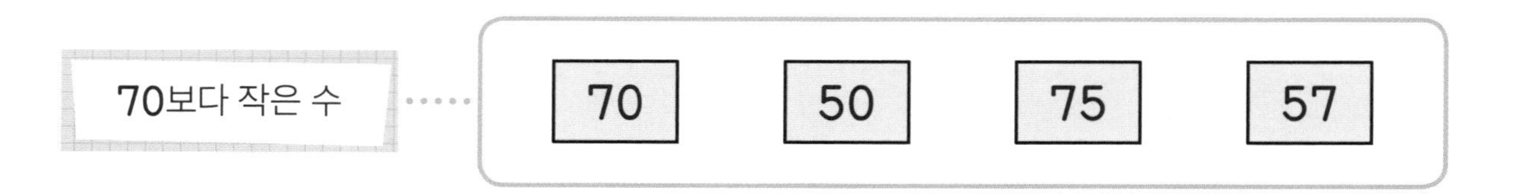


50보다 큰 수 ……

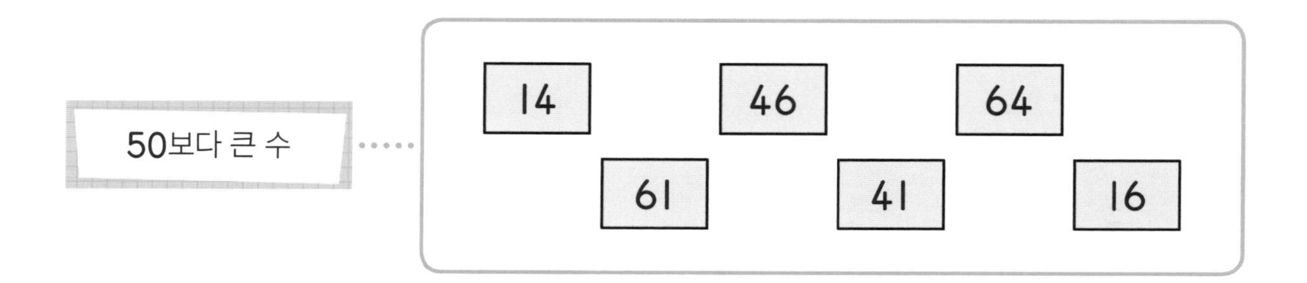


45보다 작은 수 ……

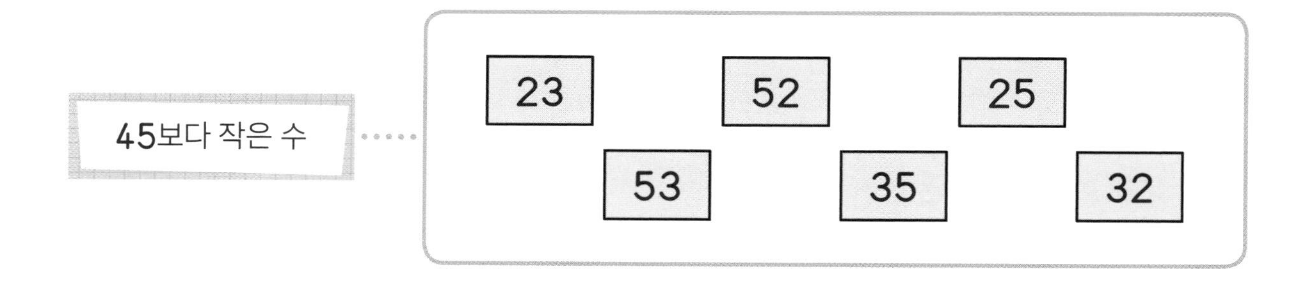


35보다 큰 수 ……

13 18 38

83 31 81

숫자 카드 3장 중 2장을 사용하여 조건에 맞는 두 자리 수를 모두 만들어 보세요.

1 3 8

30보다 작은 수: 13, 18

30보다 큰 수: ☐, ☐, ☐, ☐

십의 자리 숫자를 먼저 정합니다.

3 5 9

60보다 작은 수: ☐, ☐, ☐, ☐

60보다 큰 수: ☐, ☐

0 2 3

25보다 작은 수: ☐, ☐

25보다 큰 수: ☐, ☐

4 5 7

55보다 작은 수: ☐, ☐, ☐

55보다 큰 수: ☐, ☐, ☐

# 3일차 짝수와 홀수

조건에 맞는 두 자리 수를 찾아 모두 ◯표 하세요.

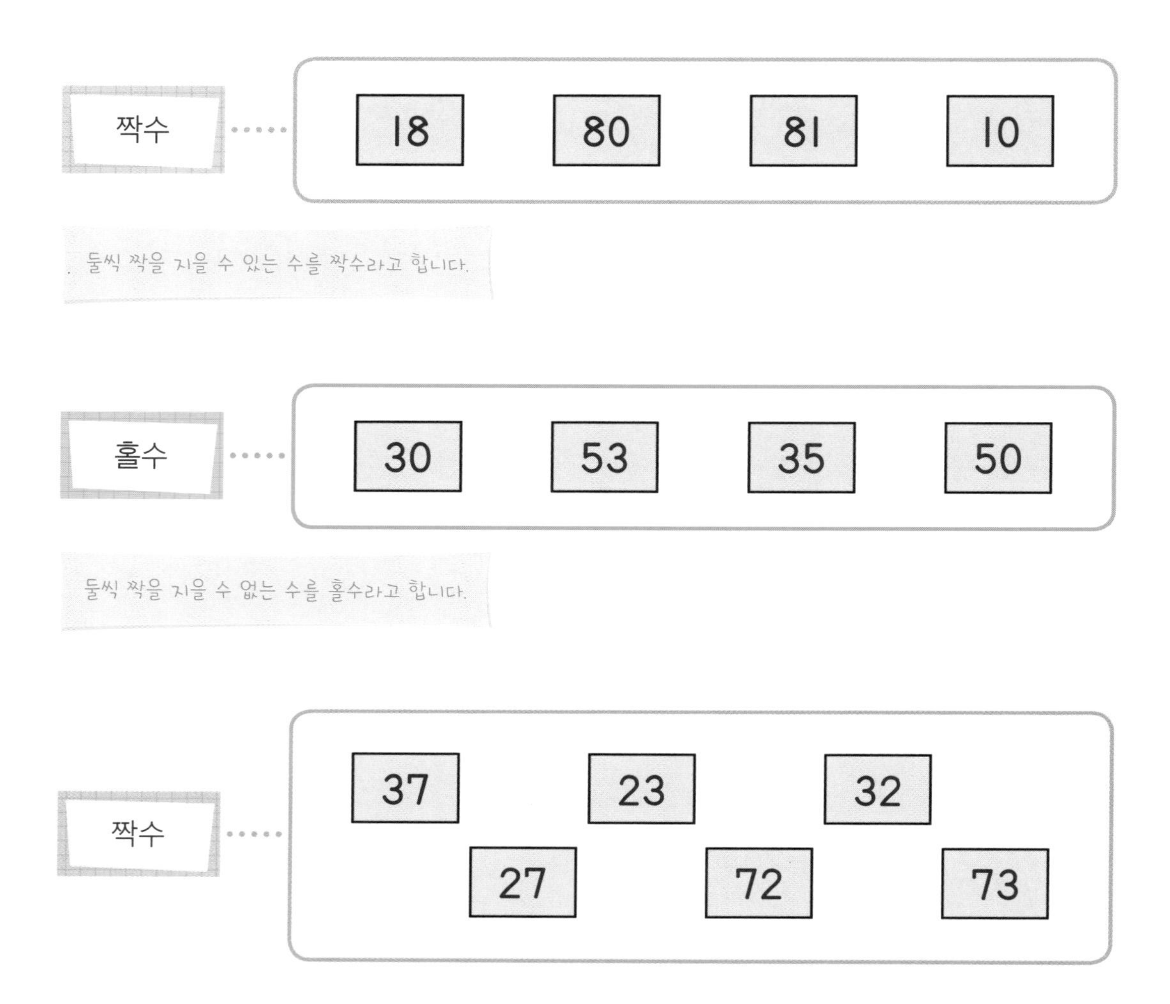


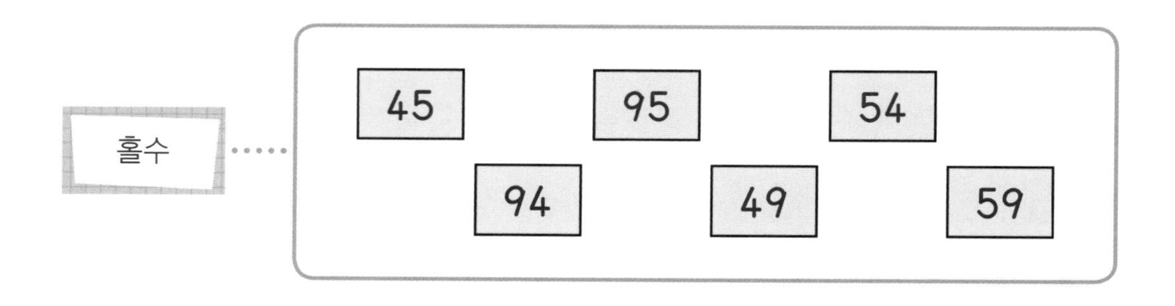

월 일

숫자 카드 3장 중 2장을 사용하여 조건에 맞는 두 자리 수를 모두 만들어 보세요.

3 8 9

짝수: 38, 98

홀수: , , ,

일의 자리 숫자를 먼저 정합니다.

1 4 6

짝수: , , ,

홀수: ,

0 1 7

짝수: ,

홀수: ,

0 5 6

짝수: , ,

홀수:

# 4일차 조건에 맞는 수 (1)

숫자 카드 1, 3, 6이 한 장씩 있습니다. 물음에 답하세요.

십의 자리 숫자가 1인 두 자리 짝수를 만들어 보세요.

일의 자리 숫자가 6이고 20보다 큰 두 자리 수를 만들어 보세요.

50보다 작은 두 자리 홀수를 모두 만들어 보세요.

,

숫자 카드 4, 5, 7이 한 장씩 있습니다. 물음에 답하세요.

| 4 | 5 | 7 |
|---|---|---|

십의 자리 숫자가 7인 두 자리 홀수를 만들어 보세요.

50보다 큰 두 자리 짝수를 모두 만들어 보세요.

,

70보다 작고 일의 자리 자리 숫자가 7인 두 자리 수를 모두 만들어 보세요.

,

# 5일차 조건에 맞는 수 (2)

조건에 맞는 두 자리 수를 모두 써 보세요.

일의 자리 숫자가 7이면서 60보다 큰 두 자리 수

? 7 → ☐, ☐, ☐, ☐

십의 자리 숫자가 9이면서 짝수인 두 자리 수

9 ? → ☐, ☐, ☐, ☐, ☐

일의 자리 숫자가 0이면서 50보다 작은 두 자리 수

? 0 → ☐, ☐, ☐, ☐

십의 자리 숫자가 2이면서 25보다 큰 두 자리 수

2 ? → ☐, ☐, ☐, ☐

조건에 맞는 두 자리 수를 구해 보세요.

- 일의 자리 숫자가 1입니다.
- 20보다 큰 수입니다.
- 30보다 작은 수입니다.

(　　　　　)

- 십의 자리 숫자가 3입니다.
- 37보다 큰 수입니다.
- 짝수입니다.

(　　　　　)

- 65보다 큰 수입니다.
- 75보다 작은 수입니다.
- 일의 자리 숫자가 8입니다.

(　　　　　)

- 53보다 작은 수입니다.
- 십의 자리 숫자가 5입니다.
- 홀수입니다.

(　　　　　)

- 일의 자리 숫자가 9입니다.
- 30보다 큰 수입니다.
- 49보다 작은 수입니다.

(　　　　　)

- 46보다 큰 수입니다.
- 50보다 작은 수입니다.
- 짝수입니다.

(　　　　　)

# 사이의 수

숫자 카드 3, 4, 5가 한 장씩 있습니다. 이 숫자 카드 중 2장으로 만들 수 있는 34와 54 사이의 수를 모두 써 보세요.

34와 54 사이의 수: ☐, ☐, ☐, ☐

3
주차

# 크고 작은 합과 차

# 1일차 만들 수 있는 덧셈식

덧셈을 하세요.

1 + 3 = ____

3 + 5 = ____

1 + 5 = ____

2 5 8

2 + 5 = ____

5 + 8 = ____

2 + 8 = ____

1 5 9

1 + 5 = ____

5 + 9 = ____

1 + 9 = ____

7 8 9

7 + 8 = ____

8 + 9 = ____

7 + 9 = ____

숫자 카드 3장 중 2장으로 계산 결과가 서로 다른 식을 만들고 계산해 보세요.

3 4 5

□ + □ = ____

□ + □ = ____

□ + □ = ____

1 4 7

□ + □ = ____

□ + □ = ____

□ + □ = ____

6 7 8

□ + □ = ____

□ + □ = ____

□ + □ = ____

5 7 9

□ + □ = ____

□ + □ = ____

□ + □ = ____

# 2일차 크고 작은 합

합이 가장 큰 식에 ◯표, 합이 가장 작은 식에 △표 하세요.

| 2+4 | 6+4 | 6+2 |
| --- | --- | --- |

| 7+6 | 6+5 | 7+5 |
| --- | --- | --- |

| 3+5 | 3+8 | 5+8 |
| --- | --- | --- |

| 9+5 | 3+9 | 3+5 |
| --- | --- | --- |

합이 가장 커지려면 가장 큰 수와 둘째로 큰 수를 더합니다.
합이 가장 작아지려면 가장 작은 수와 둘째로 작은 수를 더합니다.

| 1 | 2 | 5 |
| --- | --- | --- |

가장 큰 합: 5 + 2 = 7

가장 작은 합: 1 + 2 = 3

숫자 카드 4장 중 2장으로 합이 가장 큰 식과 합이 가장 작은 식을 만들고 계산해 보세요.

2 6 5 8

가장 큰 합: ☐ + ☐ = ____

가장 작은 합: ☐ + ☐ = ____

7 8 3 1

가장 큰 합: ☐ + ☐ = ____

가장 작은 합: ☐ + ☐ = ____

6 3 4 5

가장 큰 합: ☐ + ☐ = ____

가장 작은 합: ☐ + ☐ = ____

9 3 5 7

가장 큰 합: ☐ + ☐ = ____

가장 작은 합: ☐ + ☐ = ____

# 3일차 만들 수 있는 뺄셈식

뺄셈을 하세요.

2 5 6

$5 - 2 =$ ____

$6 - 2 =$ ____

$6 - 5 =$ ____

1 2 7

$2 - 1 =$ ____

$7 - 1 =$ ____

$7 - 2 =$ ____

4 6 9

$6 - 4 =$ ____

$9 - 4 =$ ____

$9 - 6 =$ ____

4 5 8

$5 - 4 =$ ____

$8 - 4 =$ ____

$8 - 5 =$ ____

월

일

숫자 카드 3장 중 2장으로 계산 결과가 서로 다른 식을 만들고 계산해 보세요.

| 1 | 3 | 7 |
|---|---|---|

□ − □ = ____

□ − □ = ____

□ − □ = ____

| 2 | 7 | 9 |
|---|---|---|

□ − □ = ____

□ − □ = ____

□ − □ = ____

| 3 | 4 | 8 |
|---|---|---|

□ − □ = ____

□ − □ = ____

□ − □ = ____

| 2 | 6 | 8 |
|---|---|---|

□ − □ = ____

□ − □ = ____

□ − □ = ____

# 4일차 크고 작은 차

차가 가장 큰 식에 ◯표, 차가 가장 작은 식에 △표 하세요.

$4-1$ $6-4$ $6-1$

$5-4$ $8-4$ $8-5$

$9-2$ $9-7$ $7-3$

$6-2$ $7-6$ $7-2$

차가 가장 커지려면 가장 큰 수에서 가장 작은 수를 뺍니다.
차가 가장 작아지려면 가장 가까운 두 수의 차를 구합니다.

1 4 5

가장 큰 차: $5 - 1 = 4$

가장 작은 차: $5 - 4 = 1$

월 일

숫자 카드 4장 중 2장으로 차가 가장 큰 식과 차가 가장 작은 식을 만들고 계산해 보세요.

3 4 1 6

가장 큰 차: □ − □ = ____

가장 작은 차: □ − □ = ____

9 3 2 5

가장 큰 차: □ − □ = ____

가장 작은 차: □ − □ = ____

1 4 6 9

가장 큰 차: □ − □ = ____

가장 작은 차: □ − □ = ____

5 2 8 7

가장 큰 차: □ − □ = ____

가장 작은 차: □ − □ = ____

# 5일차 여러 가지 식

숫자 카드 1, 2, 4, 7이 한 장씩 있습니다. 물음에 답하세요.

숫자 카드 2장으로 합이 가장 큰 식을 만들고 계산해 보세요.

□ + □ = ______

숫자 카드 3장으로 계산 결과가 가장 큰 식을 만들고 계산해 보세요.

□ − □ − □ = ______

숫자 카드 3장으로 계산 결과가 가장 큰 식을 만들고 계산해 보세요.

□ + □ − □ = ______

숫자 카드 3, 5, 6, 8이 한 장씩 있습니다. 물음에 답하세요.

| 3 | 5 | 6 | 8 |
|---|---|---|---|

숫자 카드 2장으로 차가 가장 작은 식을 만들고 계산해 보세요.

□ − □ = ______

숫자 카드 3장으로 계산 결과가 가장 작은 식을 만들고 계산해 보세요.

□ + □ + □ = ______

숫자 카드 3장으로 계산 결과가 가장 작은 식을 만들고 계산해 보세요.

□ + □ − □ = ______

# 주사위의 두 수

1, 2, 3, 4, 5, 6이 적힌 주사위 2개가 있습니다. 주사위를 던져서 나올 수 있는 두 수를 사용하여 합이 가장 큰 식과 합이 가장 작은 식을 각각 만들고 계산해 보세요.

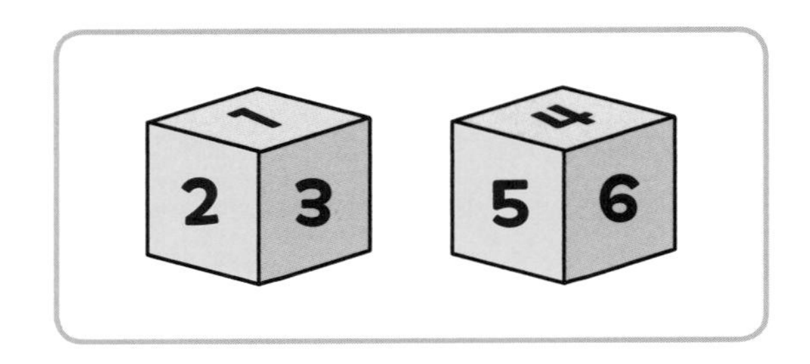


가장 큰 합: ☐ + ☐ = ______

가장 작은 합: ☐ + ☐ = ______

주사위 2개를 던지면
같은 수가 나올 수도 있어.

4 주차

# 식 만들기

# 1일차 식 바꾸기

덧셈식에 이용한 숫자 카드로 다른 덧셈식을 만들어 보세요.

$8 + 5 = 13$

→ $5 + 8 = 13$

$7 + 4 = 11$

→ $\square + \square = \square\square$

$9 + 8 = 17$

→ $\square + \square = \square\square$

$4 + 9 = 13$

→ $\square + \square = \square\square$

$5 + 7 = 12$

→ $\square + \square = \square\square$

$8 + 6 = 14$

→ $\square + \square = \square\square$

$7 + 8 = 15$

→ $\square + \square = \square\square$

$9 + 7 = 16$

→ $\square + \square = \square\square$

빼셈식에 이용한 숫자 카드로 다른 뺄셈식을 만들어 보세요.

1 2 − 3 = 9

➡ □□ − □ = □

1 5 − 8 = 7

➡ □□ − □ = □

1 1 − 5 = 6

➡ □□ − □ = □

1 6 − 7 = 9

➡ □□ − □ = □

1 3 − 5 = 8

➡ □□ − □ = □

1 2 − 8 = 4

➡ □□ − □ = □

1 4 − 9 = 5

➡ □□ − □ = □

1 3 − 6 = 7

➡ □□ − □ = □

## 2일차 덧셈식과 뺄셈식

주어진 숫자 카드를 하나의 식에 한 번씩 사용하여 덧셈식과 뺄셈식을 만들어 보세요.

0 1 4 6 → □ + □ = □□
□□ − □ = □

9 1 3 2 → □ + □ = □□
□□ − □ = □

1 7 9 6 → □ + □ = □□
□□ − □ = □

4 8 2 1 → □ + □ = □□
□□ − □ = □

월 일

주어진 숫자 카드를 하나의 식에 한 번씩 사용하여 덧셈식과 뺄셈식을 만들어 보세요.

1 7 5 8 ➡ □ + □ = □□
□□ − □ = □

7 4 1 7 ➡ □ + □ = □□
□□ − □ = □

1 8 3 1 ➡ □ + □ = □□
□□ − □ = □

2 1 7 5 ➡ □ + □ = □□
□□ − □ = □

# 3일차 덧셈식 만들기

주어진 숫자 카드를 한 번씩 사용하여 덧셈식 2개를 완성해 보세요.

9 8 5 6

$10 + 4 = 14$

$\square + \square = 14$

$\square + \square = 14$

3 8 2 9

$10 + 1 = 11$

$\square + \square = 11$

$\square + \square = 11$

4 5 8 9

$10 + 3 = 13$

$\square + \square = 13$

$\square + \square = 13$

8 9 7 8

$10 + 6 = 16$

$\square + \square = 16$

$\square + \square = 16$

주어진 숫자 카드를 한 번씩 사용하여 덧셈식 2개를 완성해 보세요.

3 4 5 6

□ + □ = 8 □ + □ = 10

8 7 6 5

□ + □ = 14 □ + □ = 12

3 5 7 8

□ + □ = 10 □ + □ = 13

6 7 8 9

□ + □ = 17 □ + □ = 13

8 5 7 9

□ + □ = 15 □ + □ = 14

# 4일차 뺄셈식 만들기

주어진 숫자 카드를 한 번씩 사용하여 뺄셈식 2개를 완성해 보세요.

| 9 | 8 | 3 | 4 |
|---|---|---|---|

12 − 2 = 10

12 − □ = □

12 − □ = □

| 7 | 8 | 8 | 9 |
|---|---|---|---|

16 − 6 = 10

16 − □ = □

16 − □ = □

| 5 | 6 | 9 | 8 |
|---|---|---|---|

14 − 4 = 10

14 − □ = □

14 − □ = □

| 9 | 2 | 8 | 3 |
|---|---|---|---|

11 − 1 = 10

11 − □ = □

11 − □ = □

주어진 숫자 카드를 한 번씩 사용하여 뺄셈식 2개를 완성해 보세요.

| 4 | 5 | 7 | 8 |
|---|---|---|---|

11 − □ = □   13 − □ = □

| 6 | 7 | 9 | 5 |
|---|---|---|---|

15 − □ = □   12 − □ = □

| 9 | 5 | 6 | 7 |
|---|---|---|---|

13 − □ = □   14 − □ = □

| 2 | 3 | 8 | 9 |
|---|---|---|---|

12 − □ = □   10 − □ = □

| 7 | 6 | 9 | 8 |
|---|---|---|---|

16 − □ = □   14 − □ = □

# 5일차 숫자 카드의 합과 차

1부터 8까지의 숫자 카드를 한 번씩 사용하여 덧셈식 4개를 완성해 보세요.

| 1 | 2 | 3 | 4 |
|---|---|---|---|
| 5 | 6 | 7 | 8 |

$\square + \square = 9$ $\square + \square = 9$

$\square + \square = 9$ $\square + \square = 9$

| 1 | 2 | 3 | 4 |
|---|---|---|---|
| 5 | 6 | 7 | 8 |

$\square + \square = 5$ $\square + \square = 5$

$\square + \square = 13$ $\square + \square = 13$

| 1 | 2 | 3 | 4 |
|---|---|---|---|
| 5 | 6 | 7 | 8 |

$\square + \square = 3$ $\square + \square = 15$

$\square + \square = 7$ $\square + \square = 11$

덧셈의 결과가 작거나 큰 식부터 완성합니다.

월 일

1부터 8까지의 숫자 카드를 한 번씩 사용하여 뺄셈식 4개를 완성해 보세요.

| 1 | 2 | 3 | 4 |
|---|---|---|---|
| 5 | 6 | 7 | 8 |

□ − □ = 4　　□ − □ = 4

□ − □ = 4　　□ − □ = 4

| 1 | 2 | 3 | 4 |
|---|---|---|---|
| 5 | 6 | 7 | 8 |

□ − □ = 6　　□ − □ = 6

□ − □ = 2　　□ − □ = 2

뺄셈의 결과가 큰 식부터 완성합니다.

| 1 | 2 | 3 | 4 |
|---|---|---|---|
| 5 | 6 | 7 | 8 |

□ − □ = 7　　□ − □ = 5

□ − □ = 3　　□ − □ = 1

# 식 완성하기

주어진 연산 카드와 숫자 카드를 하나의 식에 한 번씩만 사용하여 계산 결과가 다음과 같은식을 각각 만들어 보세요.

□ □ □ = □ □ □ □ = 7

□ □ □ = □ □ □ □ = 9

□ □ □ = □ □ □ □ = 12

# 링크 연산 퍼즐

LINK 1

# 덧셈과 뺄셈의 관계

덧셈식을 보고 빈칸에 알맞은 수를 써넣으세요.

| 덧셈식 | | |
|---|---|---|
| $7+3=10$ | $10-\square=3$ | $\square-3=7$ |
| $3+9=12$ | $12-\square=9$ | $\square-9=3$ |
| $6+8=14$ | $14-\square=6$ | $\square-6=8$ |
| $9+6=15$ | $15-\square=9$ | $\square-9=6$ |
| $8+5=13$ | $13-\square=5$ | $\square-5=8$ |

빼셈식을 보고 빈칸에 알맞은 수를 써넣으세요.

$12-8=4$ $\quad 8+\square=12 \quad 4+\square=12$

$17-8=9$ $\quad \square+9=17 \quad \square+8=17$

$11-6=5$ $\quad 5+\square=11 \quad 6+\square=11$

$13-9=4$ $\quad \square+9=13 \quad \square+4=13$

$14-5=9$ $\quad 5+\square=14 \quad 9+\square=14$

# LINK 2 크로스 셈

◪ 빈칸에 알맞은 수를 써넣어 연산 퍼즐을 완성해 보세요.

| | | | | |
|---|---|---|---|---|
| 8 | + | 6 | = | |
| | | | | − |
| | | | | 7 |
| | | | | = |
| | | | | |

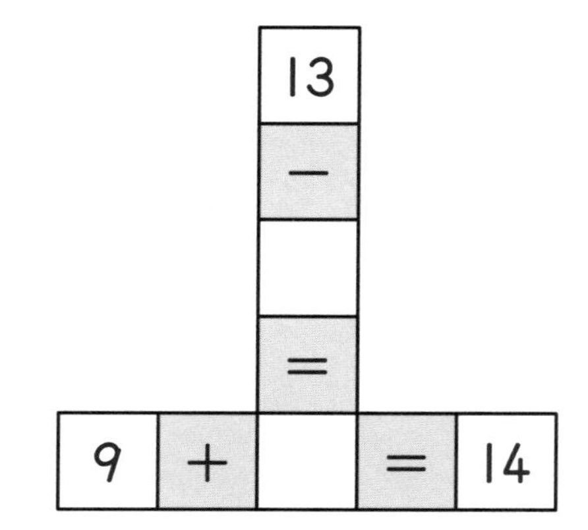


| | | | | |
|---|---|---|---|---|
| 2 | + | | = | 10 |
| | | − | | |
| | | 2 | | |
| | | = | | |
| | | | | |

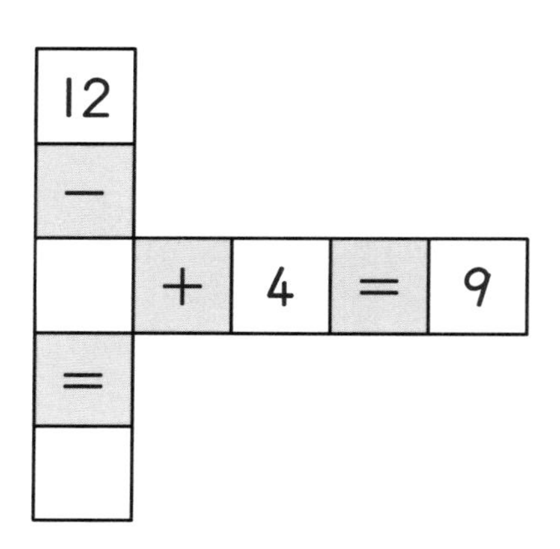


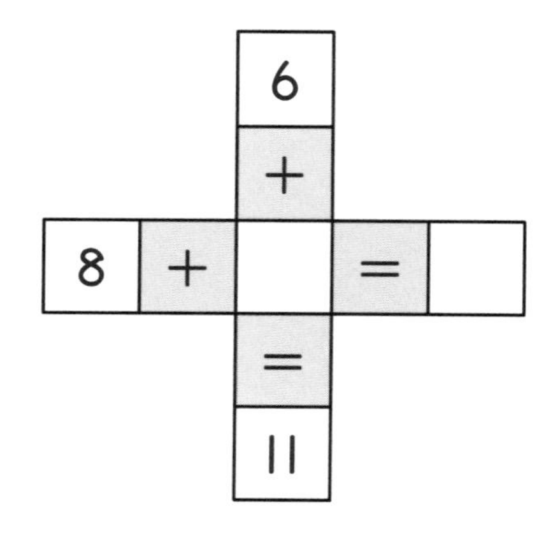


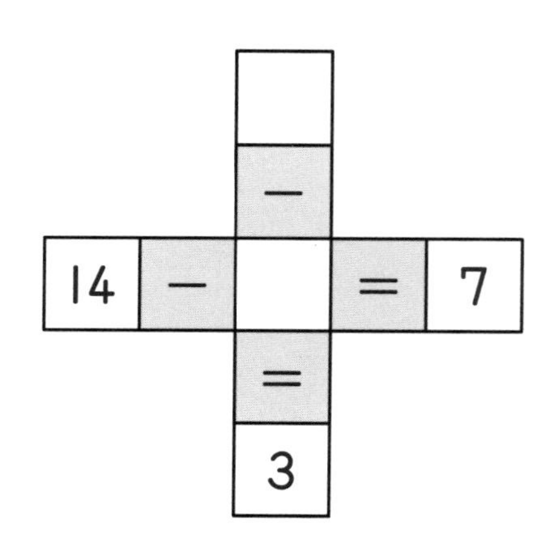

주어진 수를 빈칸에 한 번씩 써넣어 연산 퍼즐을 완성해 보세요.

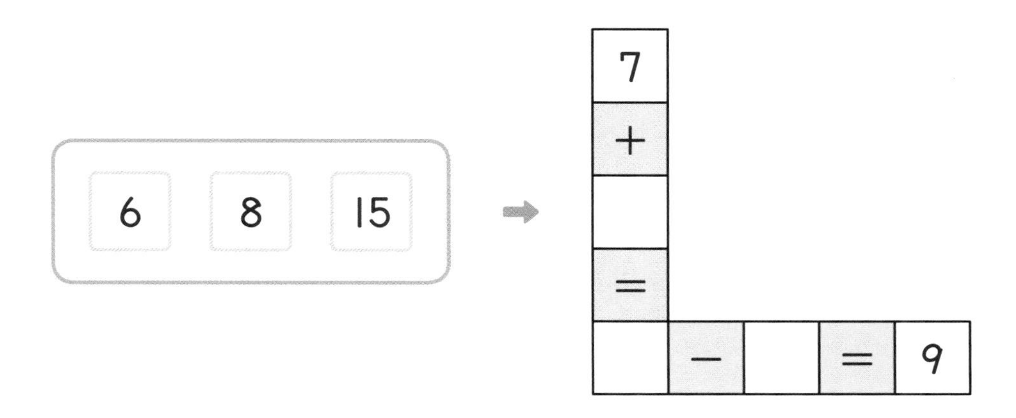


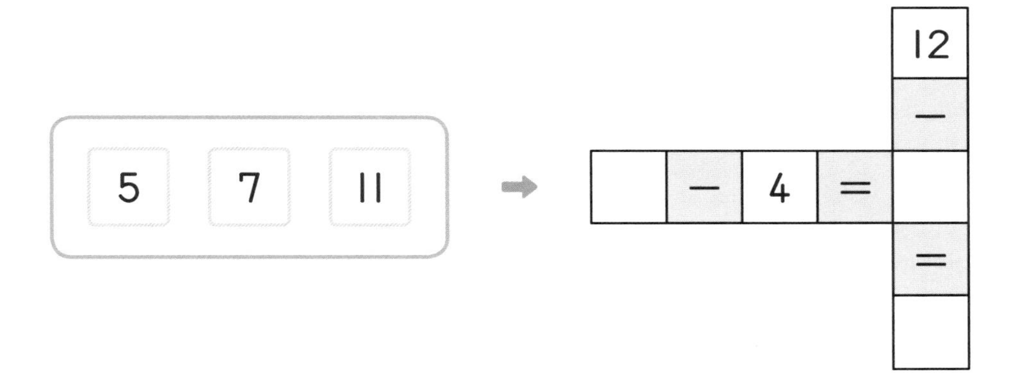


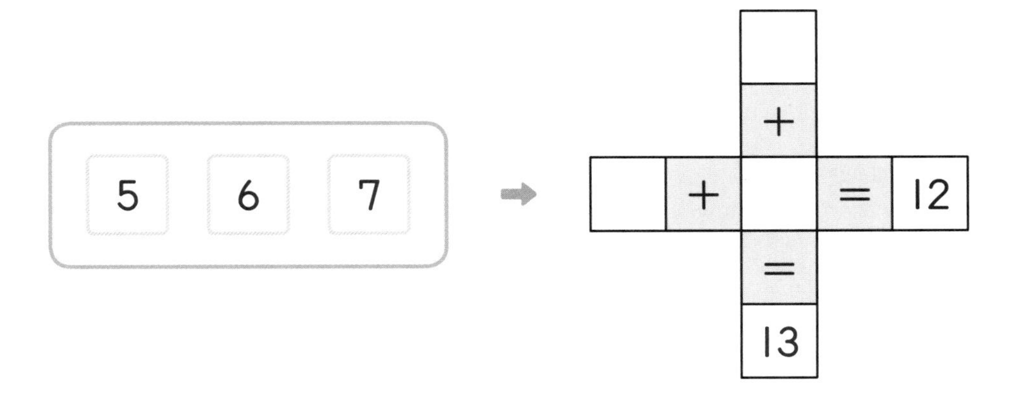

## LINK 3 바람개비 셈

가로줄과 세로줄 두 수의 합이 바깥쪽 수가 되도록 빈칸에 알맞은 수를 써넣으세요.

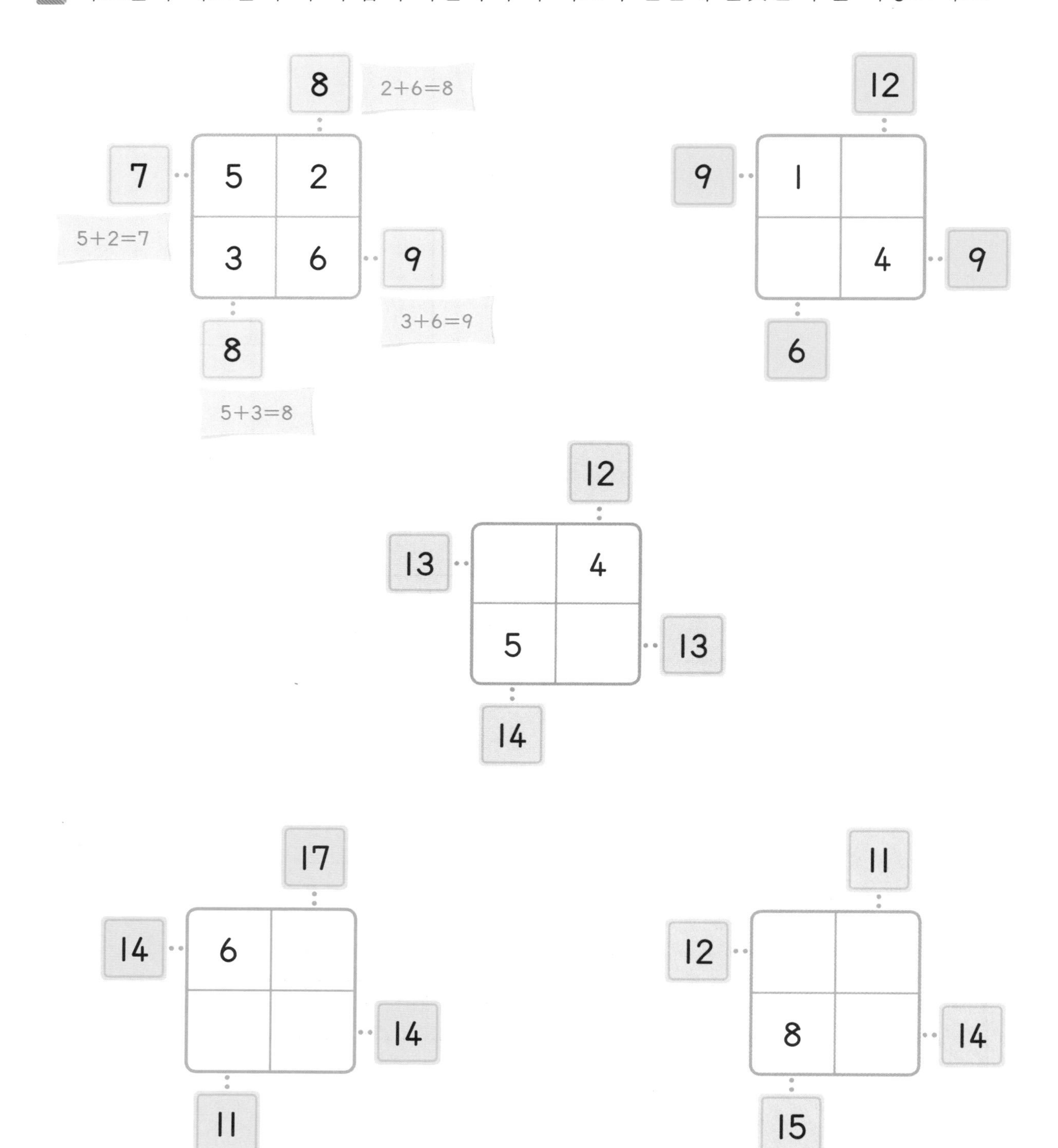

월 일

가로줄과 세로줄 두 수의 합이 바깥쪽 수가 되도록 주어진 수를 빈칸에 써넣으세요.

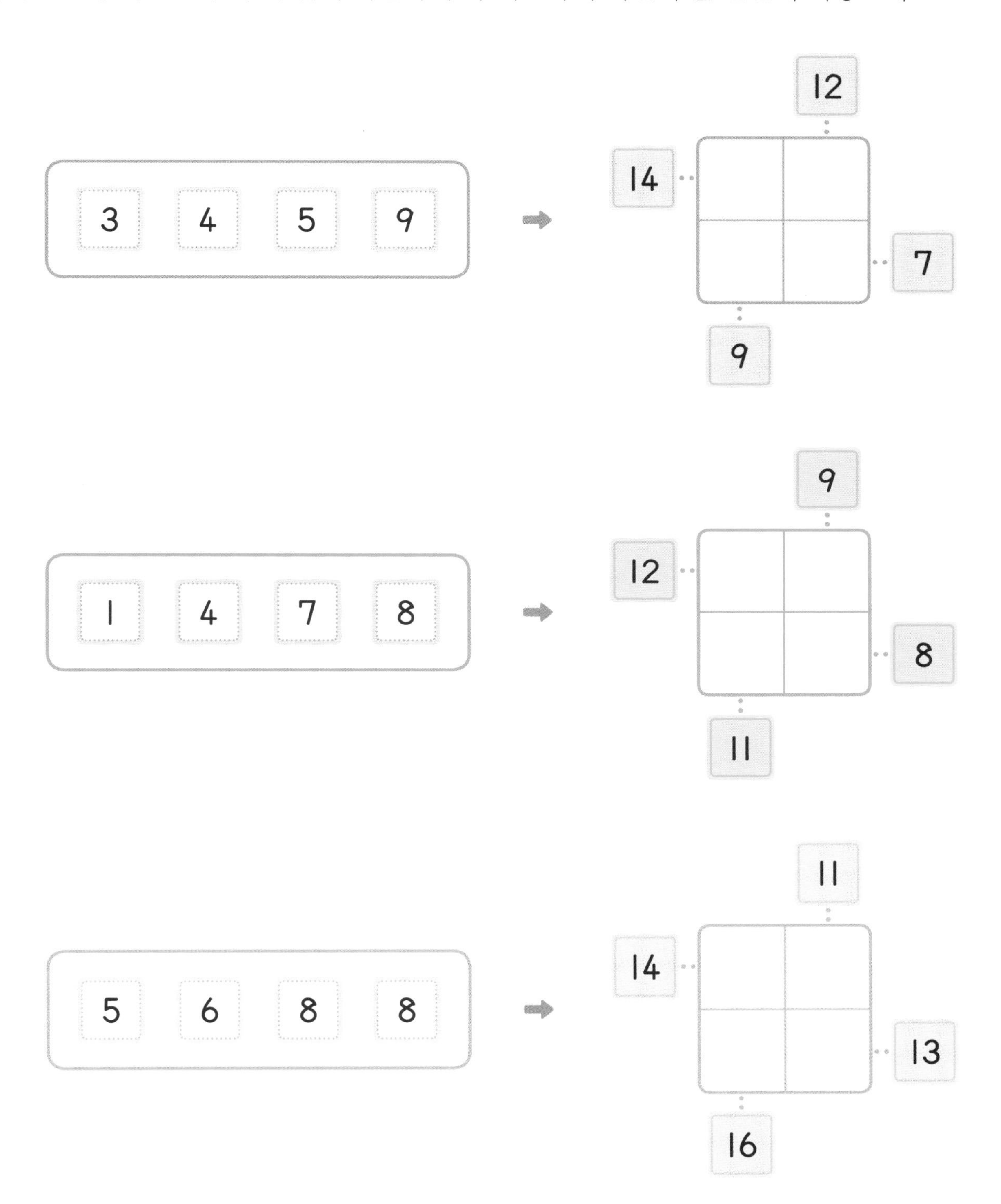

memo

# 형성평가

# 형성평가 1회

**1** 숫자 카드 2장을 사용하여 만들 수 있는 두 자리 수 중에서 큰 수와 작은 수를 각각 써 보세요.

3　7

큰 수: (　　　　　)

작은 수: (　　　　　)

**2** 숫자 카드 3장 중 2장을 골라 더합니다. 나올 수 있는 합에 모두 ◯표 하세요.

6　8　9

| 13 | 14 | 15 | 16 | 17 | 18 |
|---|---|---|---|---|---|

**3** 숫자 카드 4장 중 2장을 사용하여 차가 가장 작은 식을 만들고 계산해 보세요.

1　4　7　9

□ − □ = ＿＿＿

**4** 숫자 카드 3장 중 2장을 사용하여 만들 수 있는 두 자리 수 중 짝수를 모두 써 보세요.

(　　　　,　　　　,　　　　)

**5** 숫자 카드 3장 중 2장을 사용하여 만들 수 있는 두 자리 수 중 십의 자리 숫자가 7이면서 76보다 작은 수를 써 보세요.

4　7　8

(　　　　)

**6** 숫자 카드 4장 중 3장을 사용하여 계산 결과가 가장 큰 식을 만들고 계산해 보세요.

2　3　5　6

□ + □ − □ = ______

# 형성평가 2회

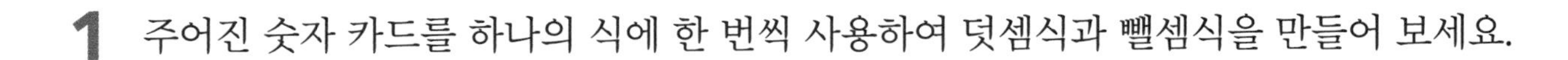

**1** 주어진 숫자 카드를 하나의 식에 한 번씩 사용하여 덧셈식과 뺄셈식을 만들어 보세요.

□ + □ = □□　　　　□□ − □ = □

**2** 숫자 카드 3장 중 2장을 사용하여 만들 수 있는 가장 작은 두 자리 수를 써 보세요.

7　1　5

(　　　　　)

**3** 숫자 카드 4장 중 2장을 사용하여 합이 가장 큰 식을 만들고 계산해 보세요.

8　2　5　7

□ + □ = ______

**4** 숫자 카드 4장을 한 번씩 사용하여 식 2개를 완성해 보세요.

$\square + \square = 12$  $14 - \square = \square$

**5** 숫자 카드 3장 중 2장을 사용하여 만들 수 있는 두 자리 수는 모두 몇 개일까요?

0  2  5

( )개

**6** 조건에 맞는 수를 구해 보세요.

- 70보다 크고 80보다 작습니다.
- 일의 자리 숫자가 십의 자리 숫자보다 더 큽니다.
- 짝수입니다.

( )

memo

# 정답

A2

숫자 카드

# 정답

## 1주차: 두 자리 수

8쪽·9쪽

### 1일차 숫자 카드 2장

숫자 카드 2장을 사용하여 만들 수 있는 두 자리 수를 모두 써 보세요.

1 3 — 십의 자리 1, 일의 자리 3 → 13 / 십의 자리 3, 일의 자리 1 → 31

4 7 — 4, 7 → 47 / 7, 4 → 74

2 5 — 2, 5 → 25 / 5, 2 → 52

숫자 카드로 두 자리 수를 만들려면 한 숫자 카드로 십의 자리 숫자(10개씩 묶음)를 정한 다음, 남은 숫자 카드를 일의 자리 숫자(낱개)로 정합니다.

1 2 — 1, 2 → 12 / 2, 1 → 21

1, 2로 만들 수 있는 두 자리 수는 12, 21로 2개입니다.



월 일

숫자 카드 2장을 사용하여 만들 수 있는 두 자리 수를 모두 써 보세요.

3 4 → 34, 43

5 7 → 57, 75

8 9 → 89, 98

1 6 → 16, 61

3 8 → 38, 83

2 4 → 24, 42



10쪽·11쪽

### 2일차 숫자 카드 3장

숫자 카드 3장 중 2장을 사용하여 만들 수 있는 두 자리 수를 모두 써 보세요.

1 3 5 — 1, 3 → 13; 1, 5 → 15; 3, 1 → 31; 3, 5 → 35; 5, 1 → 51; 5, 3 → 53

4 5 6 — 4, 5 → 45; 4, 6 → 46; 5, 4 → 54; 5, 6 → 56; 6, 4 → 64; 6, 5 → 65

1, 2, 3으로 만들 수 있는 두 자리 수는 모두 6개입니다.

1 2 3 — 1, 2 → 12; 1, 3 → 13; 2, 1 → 21; 2, 3 → 23; 3, 1 → 31; 3, 2 → 32



월 일

숫자 카드 3장 중 2장을 사용하여 만들 수 있는 두 자리 수를 모두 써 보세요.

2 4 6 → 24, 42, 62, 26, 46, 64

1 5 8 → 15, 51, 81, 18, 58, 85

3 5 7 → 35, 53, 73, 37, 57, 75

6 8 9 → 68, 86, 96, 69, 89, 98

12쪽·13쪽

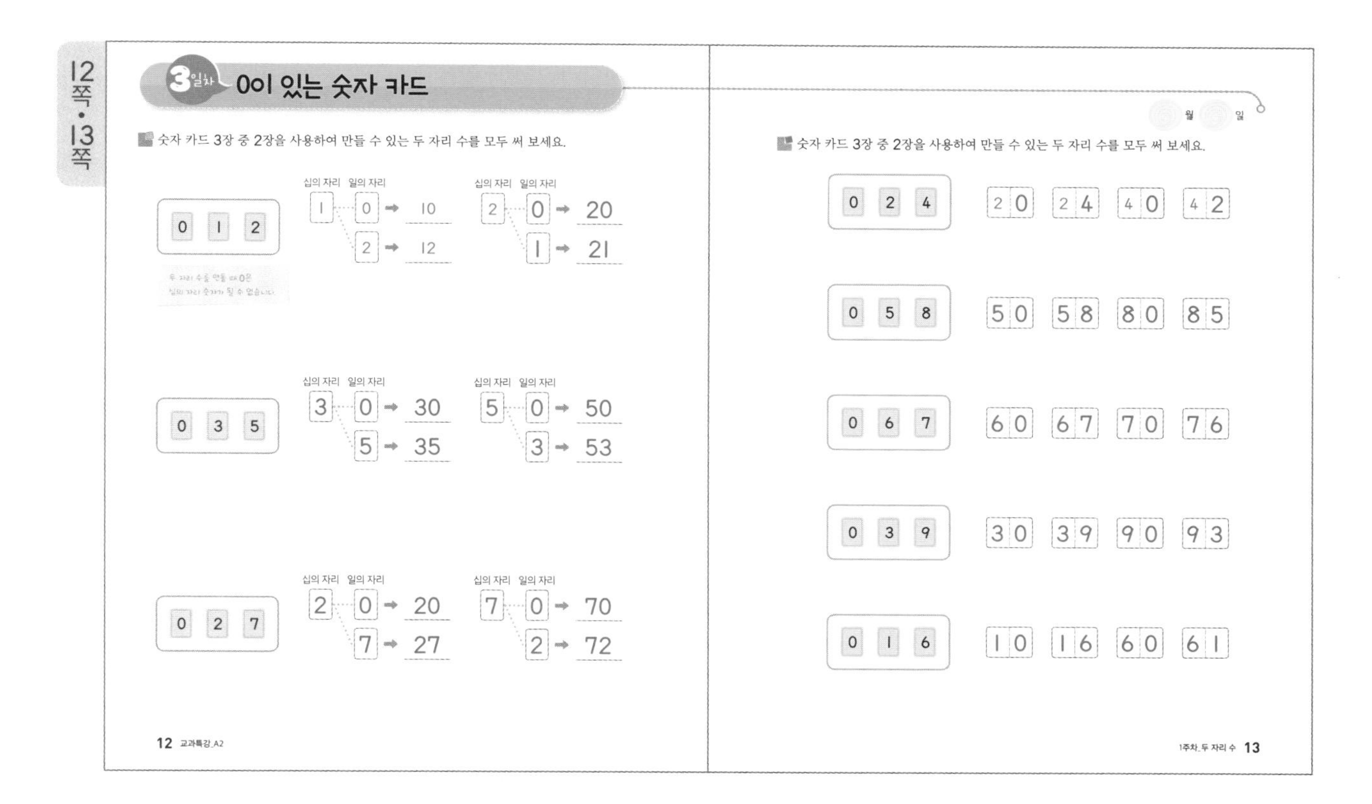


14쪽·15쪽

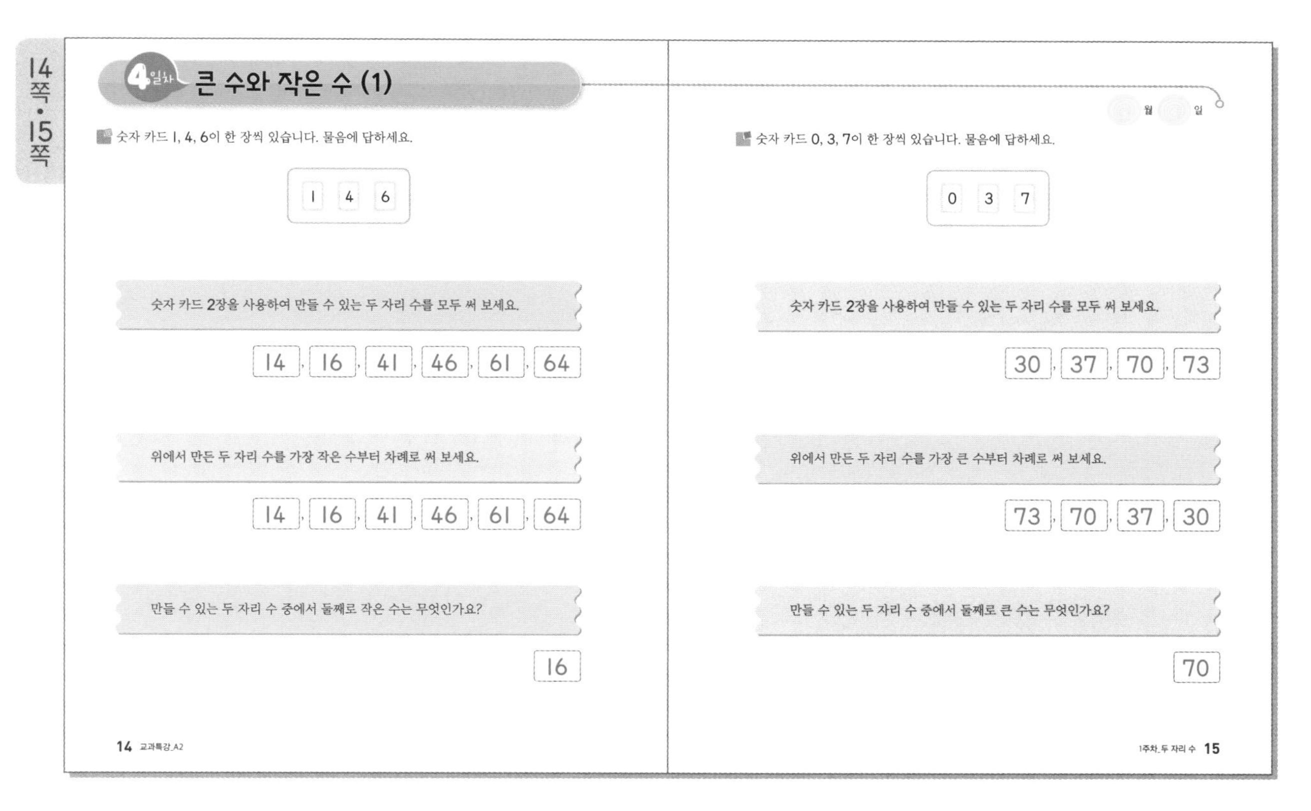

4일차 큰 수와 작은 수 (1)
숫자 카드 1, 4, 6이 한 장씩 있습니다. 물음에 답하세요.
1 4 6
숫자 카드 2장을 사용하여 만들 수 있는 두 자리 수를 모두 써 보세요.
14, 16, 41, 46, 61, 64
위에서 만든 두 자리 수를 가장 작은 수부터 차례로 써 보세요.
14, 16, 41, 46, 61, 64
만들 수 있는 두 자리 수 중에서 둘째로 작은 수는 무엇인가요?
16
14 교과특강 A2
월 일
숫자 카드 0, 3, 7이 한 장씩 있습니다. 물음에 답하세요.
0 3 7
숫자 카드 2장을 사용하여 만들 수 있는 두 자리 수를 모두 써 보세요.
30, 37, 70, 73
위에서 만든 두 자리 수를 가장 큰 수부터 차례로 써 보세요.
73, 70, 37, 30
만들 수 있는 두 자리 수 중에서 둘째로 큰 수는 무엇인가요?
70
1주차. 두 자리 수 15

# 정답

16쪽 · 17쪽

## 5일차 큰 수와 작은 수 (2)

■ 숫자 카드 3장 중 2장을 사용하여 만들 수 있는 두 자리 수 중에서 가장 큰 수와 둘째로 큰 수를 각각 써 보세요.

2 3 4
가장 큰 두 자리 수: 43
둘째로 큰 두 자리 수: 42
가장 큰 두 자리 수부터 차례로 43, 42, 34, 32, 24, 23입니다.

9 3 5
가장 큰 두 자리 수: 95
둘째로 큰 두 자리 수: 93
가장 큰 두 자리 수부터 차례로 95, 93, 59, 53, 39, 35입니다.

0 2 8
가장 큰 두 자리 수: 82
둘째로 큰 두 자리 수: 80
가장 큰 두 자리 수부터 차례로 82, 80, 28, 20입니다.

1 0 5
가장 큰 두 자리 수: 51
둘째로 큰 두 자리 수: 50
가장 큰 두 자리 수부터 차례로 51, 50, 15, 10입니다.



월 일

■ 숫자 카드 3장 중 2장을 사용하여 만들 수 있는 두 자리 수 중에서 가장 작은 수와 둘째로 작은 수를 각각 써 보세요.

7 6 5
가장 작은 두 자리 수: 56
둘째로 작은 두 자리 수: 57
가장 작은 두 자리 수부터 차례로 56, 57, 65, 67, 75, 76입니다.

4 9 8
가장 작은 두 자리 수: 48
둘째로 작은 두 자리 수: 49
가장 작은 두 자리 수부터 차례로 48, 49, 84, 89, 94, 98입니다.

0 1 3
가장 작은 두 자리 수: 10
둘째로 작은 두 자리 수: 13
가장 작은 두 자리 수부터 차례로 10, 13, 30, 31입니다.

7 2 0
가장 작은 두 자리 수: 20
둘째로 작은 두 자리 수: 27
가장 작은 두 자리 수부터 차례로 20, 27, 70, 72입니다.



18쪽

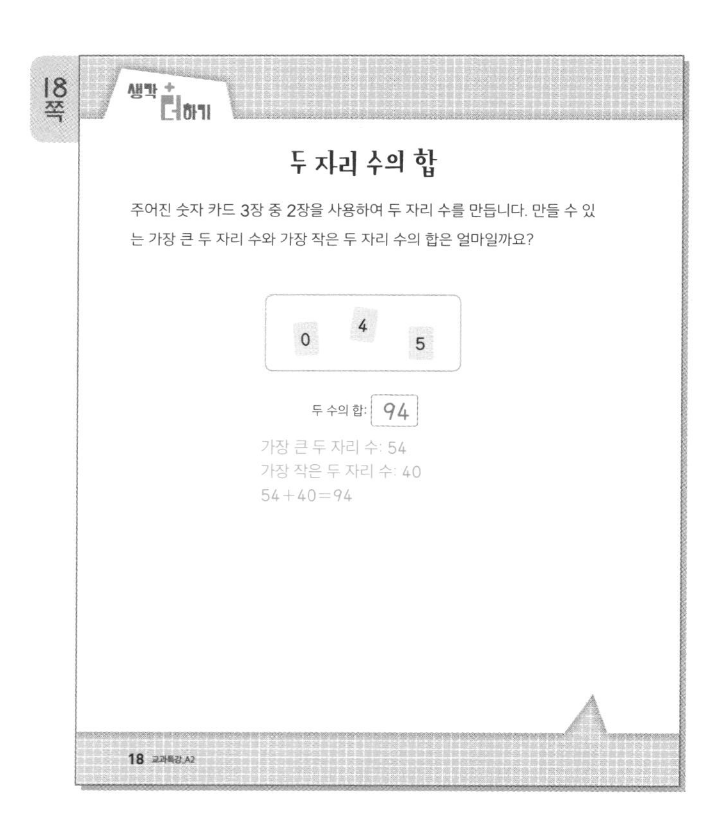

생각 더하기

### 두 자리 수의 합

주어진 숫자 카드 3장 중 2장을 사용하여 두 자리 수를 만듭니다. 만들 수 있는 가장 큰 두 자리 수와 가장 작은 두 자리 수의 합은 얼마일까요?

0 4 5

두 수의 합: 94

가장 큰 두 자리 수: 54
가장 작은 두 자리 수: 40
54+40=94

18 교과특강_A2

## 2주차: 조건에 맞는 수

20쪽 · 21쪽

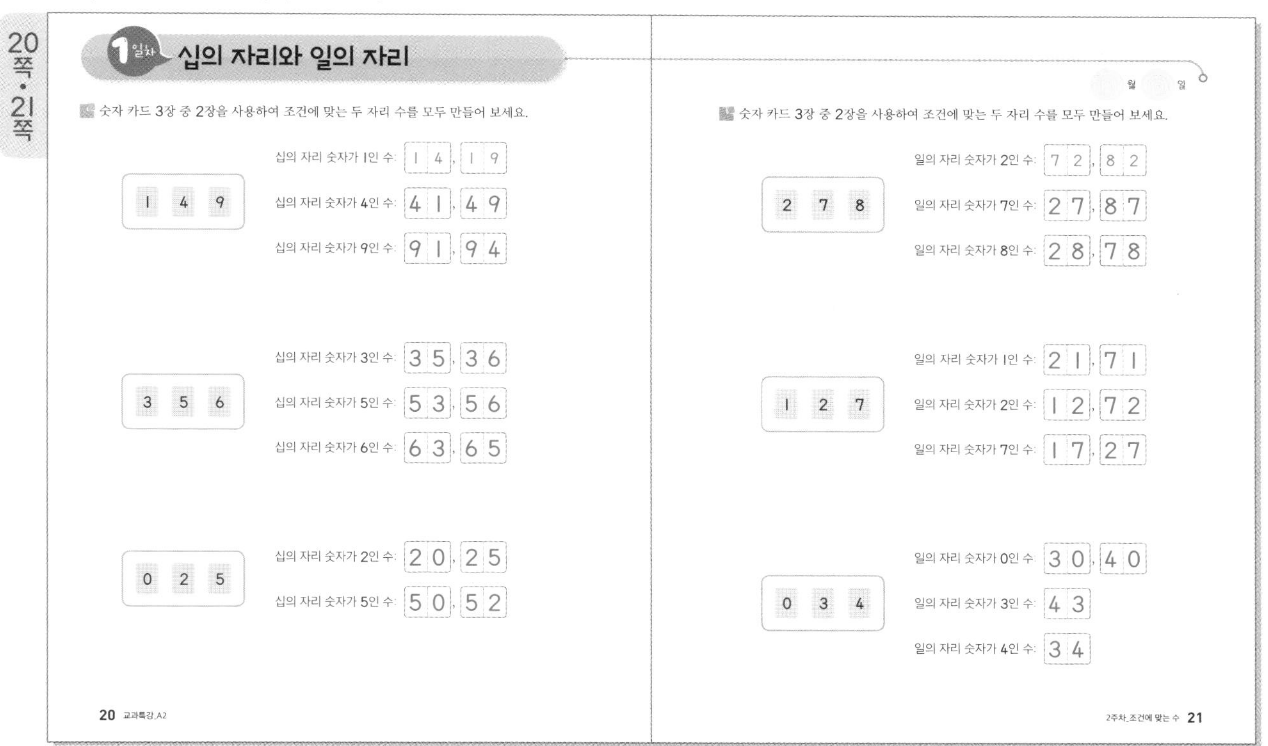

### 1일차 십의 자리와 일의 자리

숫자 카드 3장 중 2장을 사용하여 조건에 맞는 두 자리 수를 모두 만들어 보세요.

1 4 9
- 십의 자리 숫자가 1인 수: 14, 19
- 십의 자리 숫자가 4인 수: 41, 49
- 십의 자리 숫자가 9인 수: 91, 94

3 5 6
- 십의 자리 숫자가 3인 수: 35, 36
- 십의 자리 숫자가 5인 수: 53, 56
- 십의 자리 숫자가 6인 수: 63, 65

0 2 5
- 십의 자리 숫자가 2인 수: 20, 25
- 십의 자리 숫자가 5인 수: 50, 52

20 교과특강 A2

월 일

숫자 카드 3장 중 2장을 사용하여 조건에 맞는 두 자리 수를 모두 만들어 보세요.

2 7 8
- 일의 자리 숫자가 2인 수: 72, 82
- 일의 자리 숫자가 7인 수: 27, 87
- 일의 자리 숫자가 8인 수: 28, 78

1 2 7
- 일의 자리 숫자가 1인 수: 21, 71
- 일의 자리 숫자가 2인 수: 12, 72
- 일의 자리 숫자가 7인 수: 17, 27

0 3 4
- 일의 자리 숫자가 0인 수: 30, 40
- 일의 자리 숫자가 3인 수: 43
- 일의 자리 숫자가 4인 수: 34

2주차_조건에 맞는 수 21

22쪽 · 23쪽

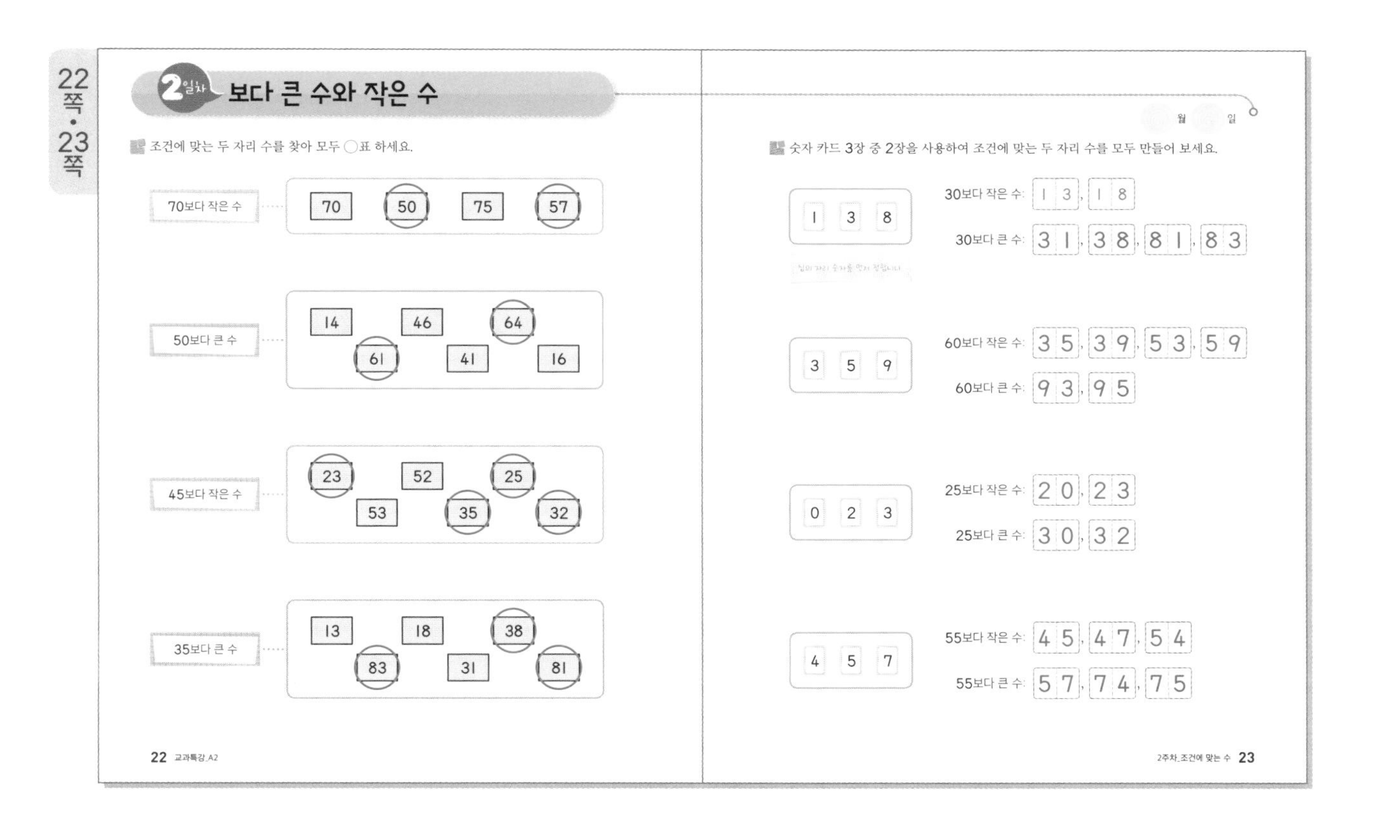

### 2일차 보다 큰 수와 작은 수

조건에 맞는 두 자리 수를 찾아 모두 ○표 하세요.

- 70보다 작은 수: 70, (50), 75, (57)
- 50보다 큰 수: 14, 46, (64), (61), 41, 16
- 45보다 작은 수: (23), 52, (25), 53, (35), (32)
- 35보다 큰 수: 13, 18, (38), (83), 31, (81)

22 교과특강 A2

월 일

숫자 카드 3장 중 2장을 사용하여 조건에 맞는 두 자리 수를 모두 만들어 보세요.

1 3 8
- 30보다 작은 수: 13, 18
- 30보다 큰 수: 31, 38, 81, 83

3 5 9
- 60보다 작은 수: 35, 39, 53, 59
- 60보다 큰 수: 93, 95

0 2 3
- 25보다 작은 수: 20, 23
- 25보다 큰 수: 30, 32

4 5 7
- 55보다 작은 수: 45, 47, 54
- 55보다 큰 수: 57, 74, 75

2주차_조건에 맞는 수 23

24쪽·25쪽

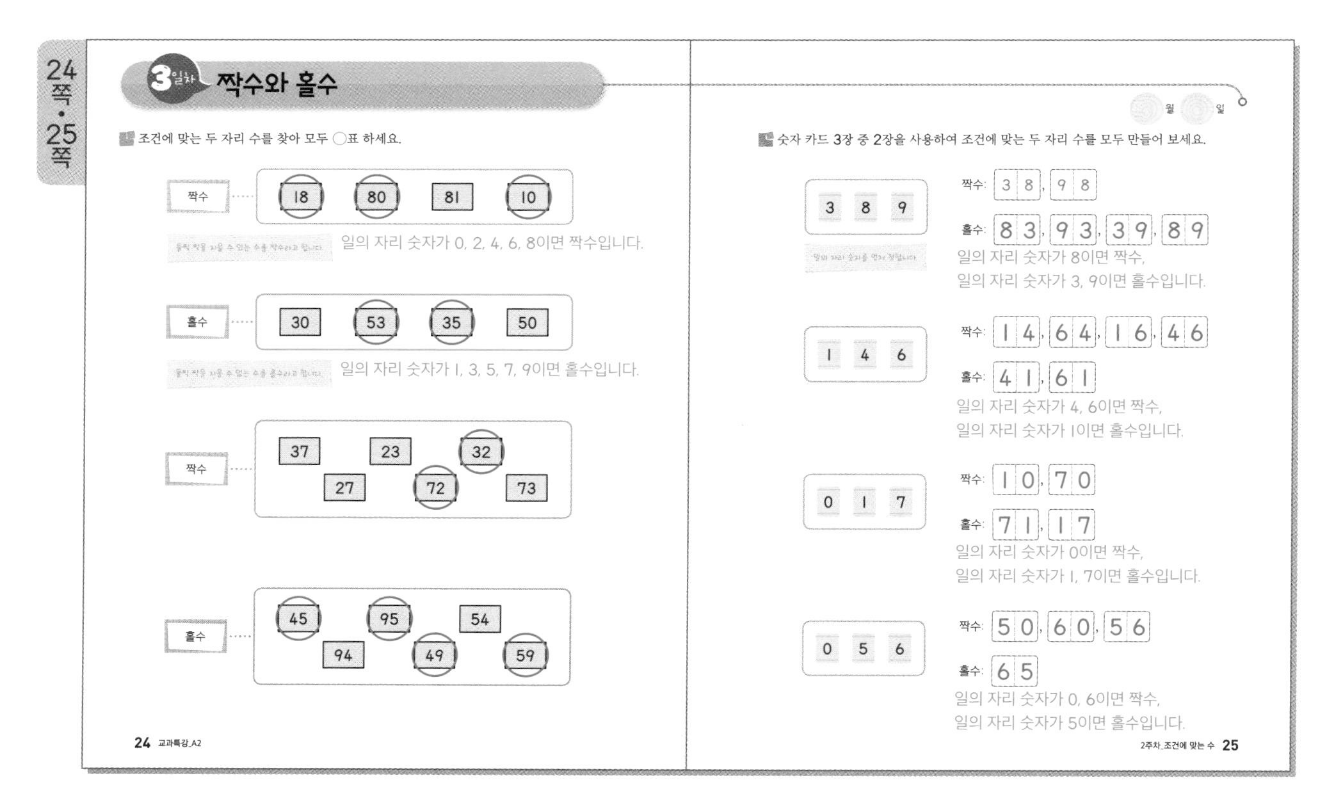

## 3일차 짝수와 홀수

1 조건에 맞는 두 자리 수를 찾아 모두 ○표 하세요.

짝수 …… (18) (80) 81 (10)

일의 자리 숫자가 0, 2, 4, 6, 8이면 짝수입니다.

홀수 …… 30 (53) (35) 50

일의 자리 숫자가 1, 3, 5, 7, 9이면 홀수입니다.

짝수 …… 37 23 (32) 27 (72) 73

홀수 …… (45) (95) 54 94 (49) (59)

2 숫자 카드 3장 중 2장을 사용하여 조건에 맞는 두 자리 수를 모두 만들어 보세요.

3 8 9 — 짝수: 38, 98 / 홀수: 83, 93, 39, 89

일의 자리 숫자가 8이면 짝수,
일의 자리 숫자가 3, 9이면 홀수입니다.

1 4 6 — 짝수: 14, 64, 16, 46 / 홀수: 41, 61

일의 자리 숫자가 4, 6이면 짝수,
일의 자리 숫자가 1이면 홀수입니다.

0 1 7 — 짝수: 10, 70 / 홀수: 71, 17

일의 자리 숫자가 0이면 짝수,
일의 자리 숫자가 1, 7이면 홀수입니다.

0 5 6 — 짝수: 50, 60, 56 / 홀수: 65

일의 자리 숫자가 0, 6이면 짝수,
일의 자리 숫자가 5이면 홀수입니다.

24 교과특강_A2 · 2주차_조건에 맞는 수 25

26쪽·27쪽

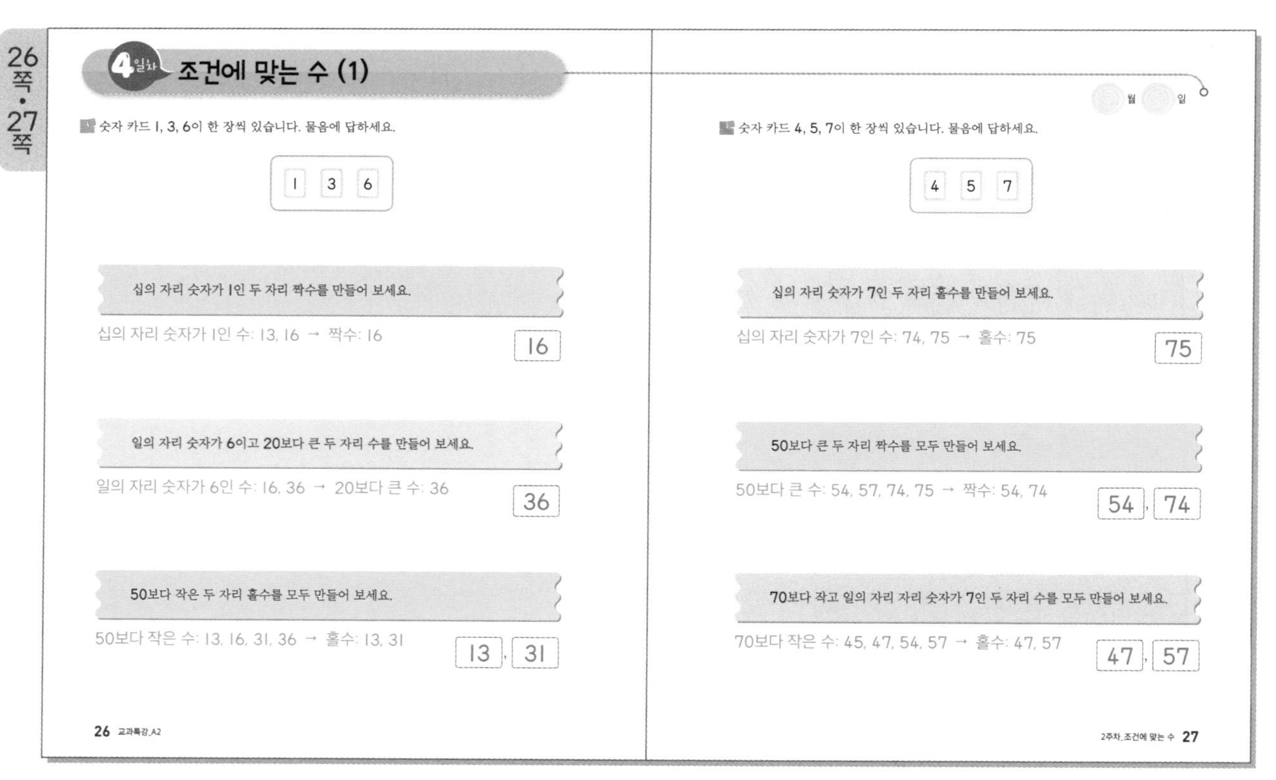

## 4일차 조건에 맞는 수 (1)

1 숫자 카드 1, 3, 6이 한 장씩 있습니다. 물음에 답하세요.

1 3 6

십의 자리 숫자가 1인 두 자리 짝수를 만들어 보세요.

십의 자리 숫자가 1인 수: 13, 16 → 짝수: 16 — 16

일의 자리 숫자가 6이고 20보다 큰 두 자리 수를 만들어 보세요.

일의 자리 숫자가 6인 수: 16, 36 → 20보다 큰 수: 36 — 36

50보다 작은 두 자리 홀수를 모두 만들어 보세요.

50보다 작은 수: 13, 16, 31, 36 → 홀수: 13, 31 — 13, 31

2 숫자 카드 4, 5, 7이 한 장씩 있습니다. 물음에 답하세요.

4 5 7

십의 자리 숫자가 7인 두 자리 홀수를 만들어 보세요.

십의 자리 숫자가 7인 수: 74, 75 → 홀수: 75 — 75

50보다 큰 두 자리 짝수를 모두 만들어 보세요.

50보다 큰 수: 54, 57, 74, 75 → 짝수: 54, 74 — 54, 74

70보다 작고 일의 자리 자리 숫자가 7인 두 자리 수를 모두 만들어 보세요.

70보다 작은 수: 45, 47, 54, 57 → 홀수: 47, 57 — 47, 57

26 교과특강_A2 · 2주차_조건에 맞는 수 27

28쪽·29쪽

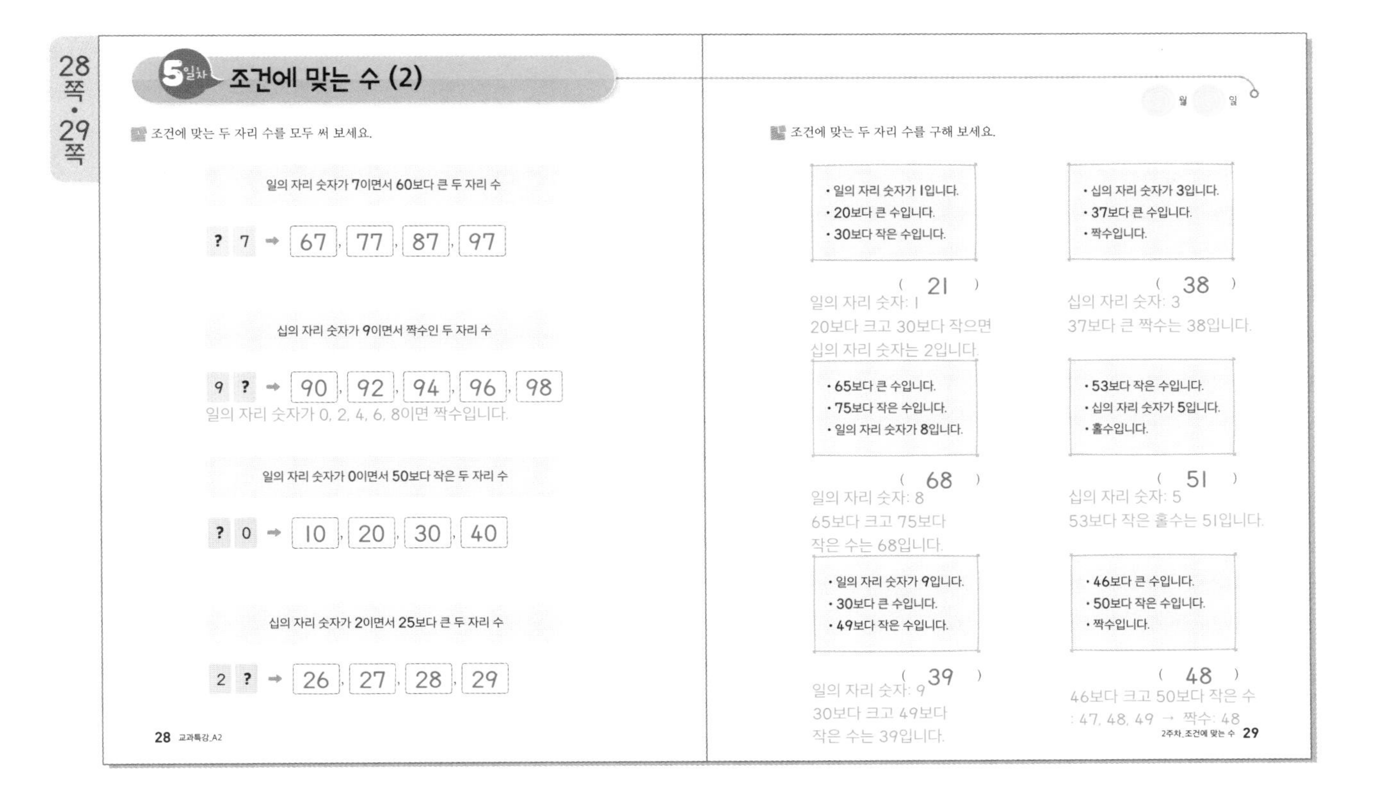

## 5일차 조건에 맞는 수 (2)

조건에 맞는 두 자리 수를 모두 써 보세요.

일의 자리 숫자가 7이면서 60보다 큰 두 자리 수

? 7 → 67, 77, 87, 97

십의 자리 숫자가 9이면서 짝수인 두 자리 수

9 ? → 90, 92, 94, 96, 98

일의 자리 숫자가 0, 2, 4, 6, 8이면 짝수입니다.

일의 자리 숫자가 0이면서 50보다 작은 두 자리 수

? 0 → 10, 20, 30, 40

십의 자리 숫자가 2이면서 25보다 큰 두 자리 수

2 ? → 26, 27, 28, 29

28 교과특강_A2

월 일

조건에 맞는 두 자리 수를 구해 보세요.

- 일의 자리 숫자가 1입니다.
- 20보다 큰 수입니다.
- 30보다 작은 수입니다.

( 21 )

일의 자리 숫자: 1
20보다 크고 30보다 작으면 십의 자리 숫자는 2입니다.

- 십의 자리 숫자가 3입니다.
- 37보다 큰 수입니다.
- 짝수입니다.

( 38 )

십의 자리 숫자: 3
37보다 큰 짝수는 38입니다.

- 65보다 큰 수입니다.
- 75보다 작은 수입니다.
- 일의 자리 숫자가 8입니다.

( 68 )

일의 자리 숫자: 8
65보다 크고 75보다 작은 수는 68입니다.

- 53보다 작은 수입니다.
- 십의 자리 숫자가 5입니다.
- 홀수입니다.

( 51 )

십의 자리 숫자: 5
53보다 작은 홀수는 51입니다.

- 일의 자리 숫자가 9입니다.
- 30보다 큰 수입니다.
- 49보다 작은 수입니다.

( 39 )

일의 자리 숫자: 9
30보다 크고 49보다 작은 수는 39입니다.

- 46보다 큰 수입니다.
- 50보다 작은 수입니다.
- 짝수입니다.

( 48 )

46보다 크고 50보다 작은 수
: 47, 48, 49 → 짝수: 48

2주차_조건에 맞는 수 29

30쪽

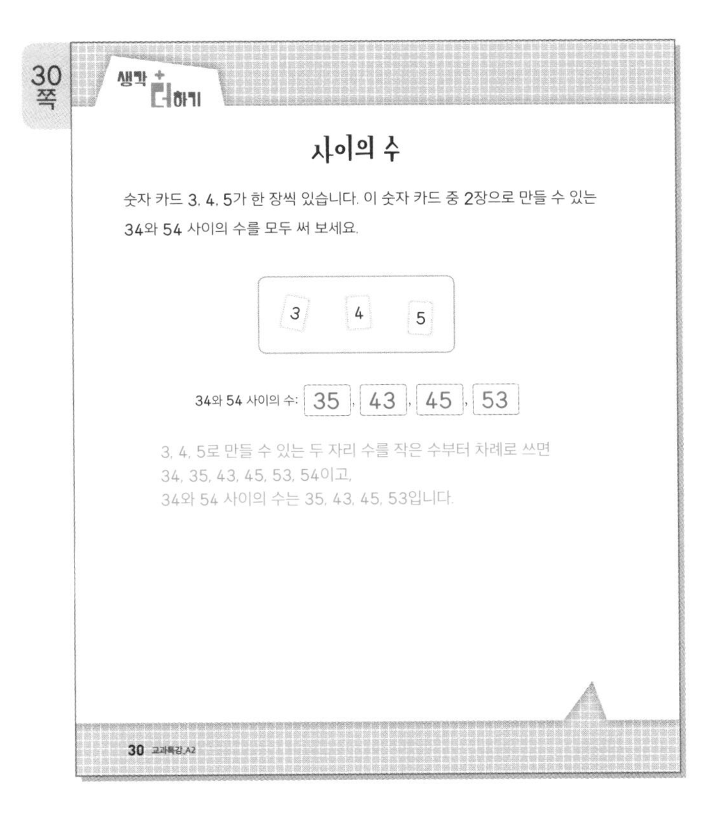

생각 더하기

## 사이의 수

숫자 카드 3, 4, 5가 한 장씩 있습니다. 이 숫자 카드 중 2장으로 만들 수 있는 34와 54 사이의 수를 모두 써 보세요.

3 4 5

34와 54 사이의 수: 35, 43, 45, 53

3, 4, 5로 만들 수 있는 두 자리 수를 작은 수부터 차례로 쓰면
34, 35, 43, 45, 53, 54이고,
34와 54 사이의 수는 35, 43, 45, 53입니다.

30 교과특강_A2

# 3주차: 크고 작은 합과 차

32쪽 · 33쪽

## 1일차 만들 수 있는 덧셈식

덧셈을 하세요.

1 3 5

1 + 3 = 4

3 + 5 = 8

1 + 5 = 6

2 5 8

2 + 5 = 7

5 + 8 = 13

2 + 8 = 10

1 5 9

1 + 5 = 6

5 + 9 = 14

1 + 9 = 10

7 8 9

7 + 8 = 15

8 + 9 = 17

7 + 9 = 16

32 교과특강_A2

월 일

숫자 카드 3장 중 2장으로 계산 결과가 서로 다른 식을 만들고 계산해 보세요.

3 4 5

3 + 4 = 7

4 + 5 = 9

3 + 5 = 8

계산 결과가 7, 8, 9이면 정답입니다.

1 4 7

1 + 4 = 5

4 + 7 = 11

1 + 7 = 8

계산 결과가 5, 8, 11이면 정답입니다.

6 7 8

6 + 7 = 13

7 + 8 = 15

6 + 8 = 14

계산 결과가 13, 14, 15이면 정답입니다.

5 7 9

5 + 7 = 12

7 + 9 = 16

5 + 9 = 14

계산 결과가 12, 14, 16이면 정답입니다.

두 수를 더하는 순서는 바뀌어도 정답입니다.

3주차_크고 작은 합과 차 33

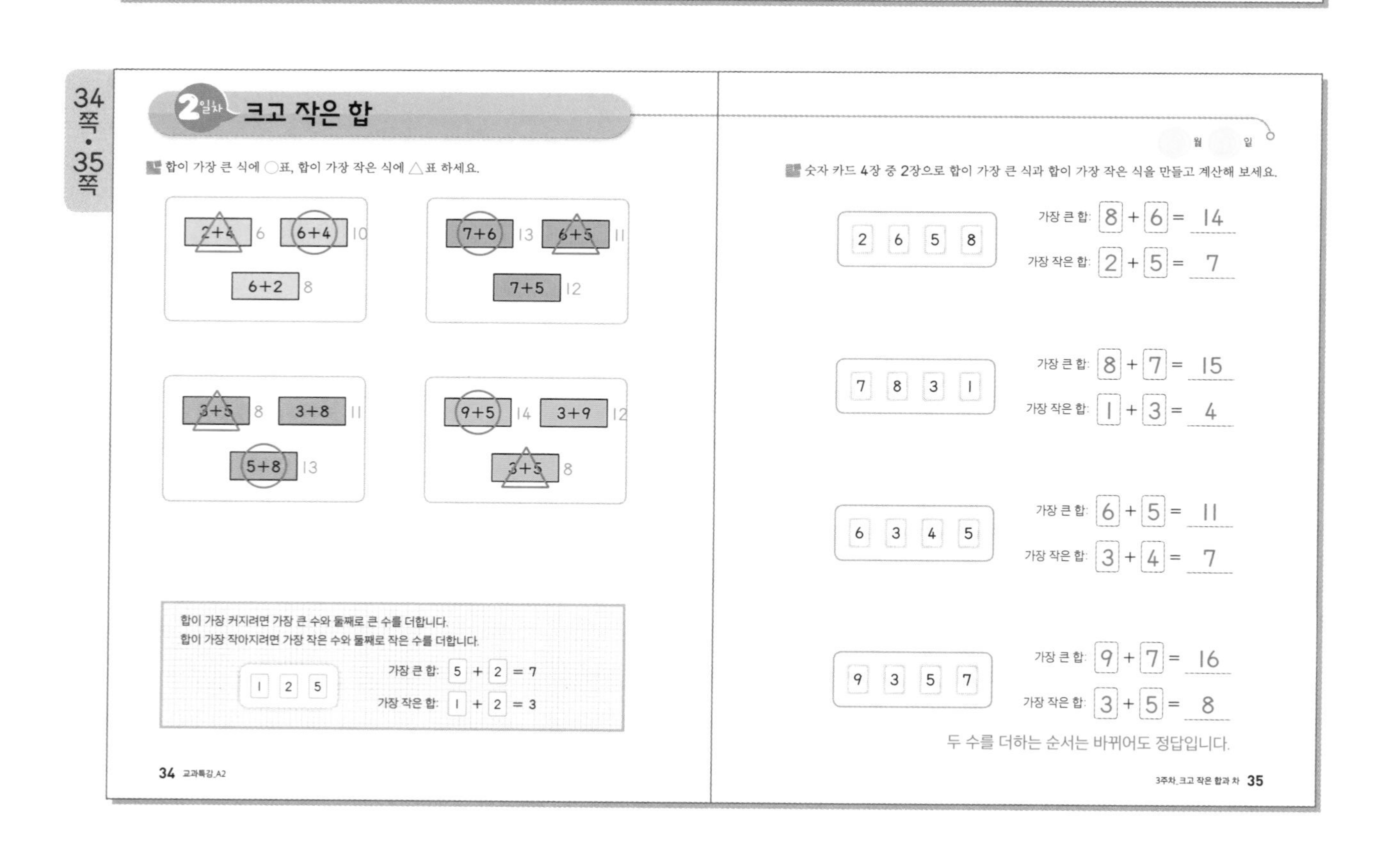

34쪽 · 35쪽

## 2일차 크고 작은 합

합이 가장 큰 식에 ○표, 합이 가장 작은 식에 △표 하세요.

2+4 6 (△), 6+4 10 (○), 6+2 8

7+6 13 (○), 6+5 11 (△), 7+5 12

3+5 8 (△), 3+8 11, 5+8 13 (○)

9+5 14 (○), 3+9 12, 3+5 8 (△)

합이 가장 커지려면 가장 큰 수와 둘째로 큰 수를 더합니다.
합이 가장 작아지려면 가장 작은 수와 둘째로 작은 수를 더합니다.

1 2 5

가장 큰 합: 5 + 2 = 7

가장 작은 합: 1 + 2 = 3

34 교과특강_A2

월 일

숫자 카드 4장 중 2장으로 합이 가장 큰 식과 합이 가장 작은 식을 만들고 계산해 보세요.

2 6 5 8

가장 큰 합: 8 + 6 = 14

가장 작은 합: 2 + 5 = 7

7 8 3 1

가장 큰 합: 8 + 7 = 15

가장 작은 합: 1 + 3 = 4

6 3 4 5

가장 큰 합: 6 + 5 = 11

가장 작은 합: 3 + 4 = 7

9 3 5 7

가장 큰 합: 9 + 7 = 16

가장 작은 합: 3 + 5 = 8

두 수를 더하는 순서는 바뀌어도 정답입니다.

3주차_크고 작은 합과 차 35

36쪽 • 37쪽

## 3일차 만들 수 있는 뺄셈식

뺄셈을 하세요.

2 5 6

5 − 2 = 3

6 − 2 = 4

6 − 5 = 1

1 2 7

2 − 1 = 1

7 − 1 = 6

7 − 2 = 5

4 6 9

6 − 4 = 2

9 − 4 = 5

9 − 6 = 3

4 5 8

5 − 4 = 1

8 − 4 = 4

8 − 5 = 3



월 일

숫자 카드 3장 중 2장으로 계산 결과가 서로 다른 식을 만들고 계산해 보세요.

1 3 7

3 − 1 = 2

7 − 1 = 6

7 − 3 = 4

계산 결과가 2, 4, 6이면 정답입니다.

2 7 9

7 − 2 = 5

9 − 2 = 7

9 − 7 = 2

계산 결과가 2, 5, 7이면 정답입니다.

3 4 8

4 − 3 = 1

8 − 3 = 5

8 − 4 = 4

계산 결과가 1, 4, 5이면 정답입니다.

2 6 8

6 − 2 = 4

8 − 2 = 6

8 − 6 = 2

계산 결과가 2, 4, 6이면 정답입니다.



38쪽 • 39쪽

## 4일차 크고 작은 차

차가 가장 큰 식에 ○표, 차가 가장 작은 식에 △표 하세요.

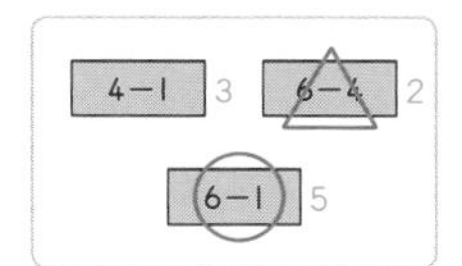


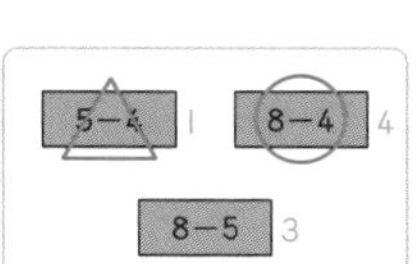


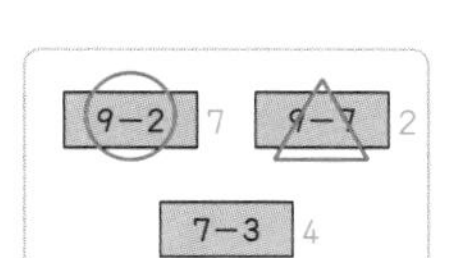


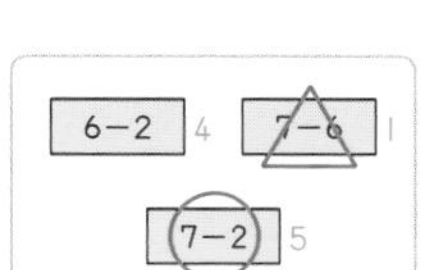


차가 가장 커지려면 가장 큰 수에서 가장 작은 수를 뺍니다.
차가 가장 작아지려면 가장 가까운 두 수의 차를 구합니다.

1 4 5 가장 큰 차: 5 − 1 = 4
가장 작은 차: 5 − 4 = 1



월 일

숫자 카드 4장 중 2장으로 차가 가장 큰 식과 차가 가장 작은 식을 만들고 계산해 보세요.

3 4 1 6

가장 큰 차: 6 − 1 = 5

가장 작은 차: 4 − 3 = 1

9 3 2 5

가장 큰 차: 9 − 2 = 7

가장 작은 차: 3 − 2 = 1

1 4 6 9

가장 큰 차: 9 − 1 = 8

가장 작은 차: 6 − 4 = 2

5 2 8 7

가장 큰 차: 8 − 2 = 6

가장 작은 차: 8 − 7 = 1

# 정답

40쪽 • 41쪽

## 5일차 여러 가지 식

숫자 카드 1, 2, 4, 7이 한 장씩 있습니다. 물음에 답하세요.

1 2 4 7

숫자 카드 2장으로 합이 가장 큰 식을 만들고 계산해 보세요.

7 + 4 = 11
또는 4 7

가장 큰 수와 둘째로 큰 수를 더합니다.

숫자 카드 3장으로 계산 결과가 가장 큰 식을 만들고 계산해 보세요.

또는 7 2 1
7 − 1 − 2 = 4

계산 결과가 커지려면 큰 수에서 작은 수를 빼야 합니다.
가장 큰 수에서 가장 작은 수와 둘째로 작은 수를 뺍니다.

숫자 카드 3장으로 계산 결과가 가장 큰 식을 만들고 계산해 보세요.

또는 4 7 1
7 + 4 − 1 = 10

계산 결과가 커지려면 큰 수에서 작은 수를 빼야 합니다.
가장 큰 수와 둘째로 큰 수를 더하고 가장 작은 수를 뺍니다.



월 일

숫자 카드 3, 5, 6, 8이 한 장씩 있습니다. 물음에 답하세요.

3 5 6 8

숫자 카드 2장으로 차가 가장 작은 식을 만들고 계산해 보세요.

6 − 5 = 1

가장 가까운 두 수의 차를 구합니다.

숫자 카드 3장으로 계산 결과가 가장 작은 식을 만들고 계산해 보세요.

3 + 5 + 6 = 14

세 수를 더하는 순서는 바뀌어도 정답입니다.

계산 결과가 작아지려면 작은 수끼리 더해야 합니다.
가장 큰 수를 제외한 세 수를 더합니다.

숫자 카드 3장으로 계산 결과가 가장 작은 식을 만들고 계산해 보세요.

또는 5 3 8
3 + 5 − 8 = 0

계산 결과가 작아지려면 작은 수끼리 더하고 큰 수를 빼야 합니다.
가장 작은 수와 둘째로 작은 수를 더하고 가장 큰 수를 뺍니다.



42쪽

생각 + 더하기

## 주사위의 두 수

1, 2, 3, 4, 5, 6이 적힌 주사위 2개가 있습니다. 주사위를 던져서 나올 수 있는 두 수를 사용하여 합이 가장 큰 식과 합이 가장 작은 식을 각각 만들고 계산해 보세요.

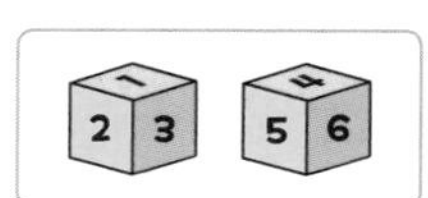

가장 큰 합: 6 + 6 = 12

가장 작은 합: 1 + 1 = 2

주사위 2개를 던져 각각 6이 나오면 가장 큰 합을 만들 수 있습니다.
주사위 2개를 던져 각각 1이 나오면 가장 작은 합을 만들 수 있습니다.

주사위 2개를 던지면 같은 수가 나올 수도 있어.

# 4주차: 식 만들기

44쪽 · 45쪽

## 1일차 식 바꾸기

덧셈식에 이용한 숫자 카드로 다른 덧셈식을 만들어 보세요.

8 + 5 = 13 → 5 + 8 = 13

7 + 4 = 11 → 4 + 7 = 11

9 + 8 = 17 → 8 + 9 = 17

4 + 9 = 13 → 9 + 4 = 13

5 + 7 = 12 → 7 + 5 = 12

8 + 6 = 14 → 6 + 8 = 14

7 + 8 = 15 → 8 + 7 = 15

9 + 7 = 16 → 7 + 9 = 16



월 일

뺄셈식에 이용한 숫자 카드로 다른 뺄셈식을 만들어 보세요.

12 − 3 = 9 → 12 − 9 = 3

15 − 8 = 7 → 15 − 7 = 8

11 − 5 = 6 → 11 − 6 = 5

16 − 7 = 9 → 16 − 9 = 7

13 − 5 = 8 → 13 − 8 = 5

12 − 8 = 4 → 12 − 4 = 8

14 − 9 = 5 → 14 − 5 = 9

13 − 6 = 7 → 13 − 7 = 6



46쪽 · 47쪽

## 2일차 덧셈식과 뺄셈식

주어진 숫자 카드를 하나의 식에 한 번씩 사용하여 덧셈식과 뺄셈식을 만들어 보세요.

→ 4 + 6 = 10 (또는 6 4 10)
10 − 4 = 6 (또는 10 6 4)

9 1 3 2 → 9 + 3 = 12 (또는 3 9 12)
12 − 3 = 9 (또는 12 9 3)

1 7 9 6 → 9 + 7 = 16 (또는 7 9 16)
16 − 7 = 9 (또는 16 9 7)

4 8 2 1 → 8 + 4 = 12 (또는 4 8 12)
12 − 4 = 8 (또는 12 8 4)



월 일

주어진 숫자 카드를 하나의 식에 한 번씩 사용하여 덧셈식과 뺄셈식을 만들어 보세요.

→ 8 + 7 = 15 (또는 7 8 15)
15 − 7 = 8 (또는 15 8 7)

7 4 1 7 → 7 + 7 = 14
14 − 7 = 7

1 8 3 1 → 8 + 3 = 11 (또는 3 8 11)
11 − 3 = 8 (또는 11 8 3)

2 1 7 5 → 7 + 5 = 12 (또는 5 7 12)
12 − 5 = 7 (또는 12 7 5)

# 정답

48쪽 · 49쪽

## 3일차 덧셈식 만들기

주어진 숫자 카드를 한 번씩 사용하여 덧셈식 2개를 완성해 보세요.

9 8 5 6

10 + 4 = 14

9 + 5 = 14

8 + 6 = 14

3 8 2 9

10 + 1 = 11

9 + 2 = 11

8 + 3 = 11

4 5 8 9

10 + 3 = 13

9 + 4 = 13

8 + 5 = 13

8 9 7 8

10 + 6 = 16

9 + 7 = 16

8 + 8 = 16

두 수를 더하는 순서는 바뀌어도 정답입니다.



월 일

주어진 숫자 카드를 한 번씩 사용하여 덧셈식 2개를 완성해 보세요.

3 4 5 6 — 3 + 5 = 8 또는 5 3, 4 + 6 = 10 또는 6 4

8 7 6 5 — 8 + 6 = 14 또는 6 8, 7 + 5 = 12 또는 5 7

3 5 7 8 — 7 + 3 = 10 또는 3 7, 8 + 5 = 13 또는 5 8

6 7 8 9 — 9 + 8 = 17 또는 8 9, 7 + 6 = 13 또는 6 7

8 5 7 9 — 8 + 7 = 15 또는 7 8, 9 + 5 = 14 또는 5 9



50쪽 · 51쪽

## 4일차 뺄셈식 만들기

주어진 숫자 카드를 한 번씩 사용하여 뺄셈식 2개를 완성해 보세요.

9 8 3 4

12 − 2 = 10

12 − 3 = 9

12 − 4 = 8

7 8 8 9

16 − 6 = 10

16 − 7 = 9

16 − 8 = 8

5 6 9 8

14 − 4 = 10

14 − 5 = 9

14 − 6 = 8

9 2 8 3

11 − 1 = 10

11 − 2 = 9

11 − 3 = 8

빼는 수와 결과값은 서로 바뀌어도 정답입니다.



월 일

주어진 숫자 카드를 한 번씩 사용하여 뺄셈식 2개를 완성해 보세요.

4 5 7 8 — 11 − 4 = 7 또는 7 4, 13 − 5 = 8 또는 8 5

6 7 9 5 — 15 − 6 = 9 또는 9 6, 12 − 5 = 7 또는 7 5

9 5 6 7 — 13 − 6 = 7 또는 7 6, 14 − 5 = 9 또는 9 5

2 3 8 9 — 12 − 3 = 9 또는 9 3, 10 − 2 = 8 또는 8 2

7 6 9 8 — 16 − 7 = 9 또는 9 7, 14 − 6 = 8 또는 8 6

52쪽 · 53쪽

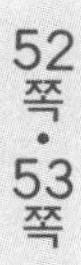

## 5일차 숫자 카드의 합과 차

1부터 8까지의 숫자 카드를 한 번씩 사용하여 덧셈식 4개를 완성해 보세요.

1 2 3 4 / 5 6 7 8

1 + 8 = 9　2 + 7 = 9
3 + 6 = 9　4 + 5 = 9

1 2 3 4 / 5 6 7 8

1 + 4 = 5　2 + 3 = 5
5 + 8 = 13　6 + 7 = 13

1 2 3 4 / 5 6 7 8

1 + 2 = 3　7 + 8 = 15
3 + 4 = 7　5 + 6 = 11

두 수를 더하는 순서는 서로 바뀌어도 정답입니다.



1부터 8까지의 숫자 카드를 한 번씩 사용하여 뺄셈식 4개를 완성해 보세요.

1 2 3 4 / 5 6 7 8

8 − 4 = 4　7 − 3 = 4
6 − 2 = 4　5 − 1 = 4

1 2 3 4 / 5 6 7 8

8 − 2 = 6　7 − 1 = 6
6 − 4 = 2　5 − 3 = 2

1 2 3 4 / 5 6 7 8

8 − 1 = 7　7 − 2 = 5
6 − 3 = 3　5 − 4 = 1



54쪽

생각 더하기

## 식 완성하기

주어진 연산 카드와 숫자 카드를 하나의 식에 한 번씩만 사용하여 계산 결과가 다음과 같은식을 각각 만들어 보세요.

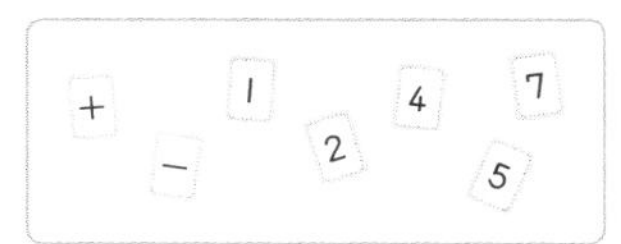

5 + 2 = 14 − 7 = 7
또는 2　5

7 + 2 = 14 − 5 = 9
또는 2　7

7 + 5 = 14 − 2 = 12
또는 5　7

# 정답

## 링크: 연산 퍼즐

56쪽 · 57쪽

### LINK 1 덧셈과 뺄셈의 관계

덧셈식을 보고 빈칸에 알맞은 수를 써넣으세요.

7+3=10　10 − [7] = 3　[10] − 3 = 7
→ 10−7=3, 10−3=7

3+9=12　12 − [3] = 9　[12] − 9 = 3
→ 12−3=9, 12−9=3

6+8=14　14 − [8] = 6　[14] − 6 = 8
→ 14−8=6, 14−6=8

9+6=15　15 − [6] = 9　[15] − 9 = 6
→ 15−6=9, 15−9=6

8+5=13　13 − [8] = 5　[13] − 5 = 8
→ 13−8=5, 13−5=8

덧셈식은 뺄셈식으로 바꿀 수 있습니다.



월 일

뺄셈식을 보고 빈칸에 알맞은 수를 써넣으세요.

12−8=4　8 + [4] = 12　4 + [8] = 12
→ 8+4=12, 4+8=12

17−8=9　[8] + 9 = 17　[9] + 8 = 17
→ 8+9=17, 9+8=17

11−6=5　5 + [6] = 11　6 + [5] = 11
→ 5+6=11, 6+5=11

13−9=4　[4] + 9 = 13　[9] + 4 = 13
→ 4+9=13, 9+4=13

14−5=9　5 + [9] = 14　9 + [5] = 14
→ 5+9=14, 9+5=14

뺄셈식은 덧셈식으로 바꿀 수 있습니다.



58쪽 · 59쪽

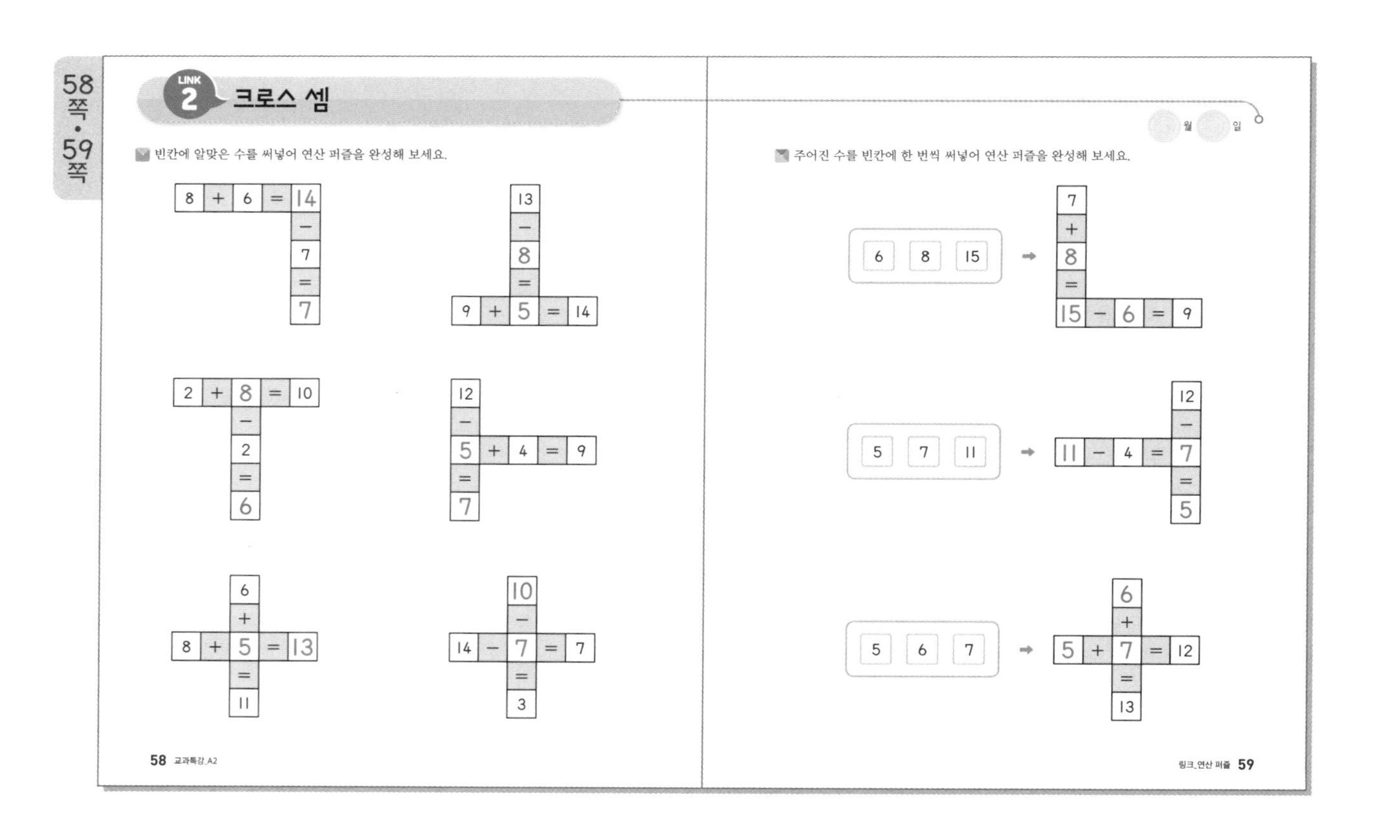

### LINK 2 크로스 셈

빈칸에 알맞은 수를 써넣어 연산 퍼즐을 완성해 보세요.

8 + 6 = [14], [14] − 7 = [7]

13 − [8] = [5], 9 + [5] = 14

2 + [8] = 10, [8] − 2 = [6]

12 − [5] = [7], [5] + 4 = 9

6 + [5] = 11, 8 + [5] = [13]

[10] − [7] = 3, 14 − [7] = 7



월 일

주어진 수를 빈칸에 한 번씩 써넣어 연산 퍼즐을 완성해 보세요.

6 8 15 → 7 + [8] = [15], [15] − [6] = 9

5 7 11 → [11] − 4 = [7], 12 − [7] = [5]

5 6 7 → [6] + [7] = 13, [5] + [7] = 12

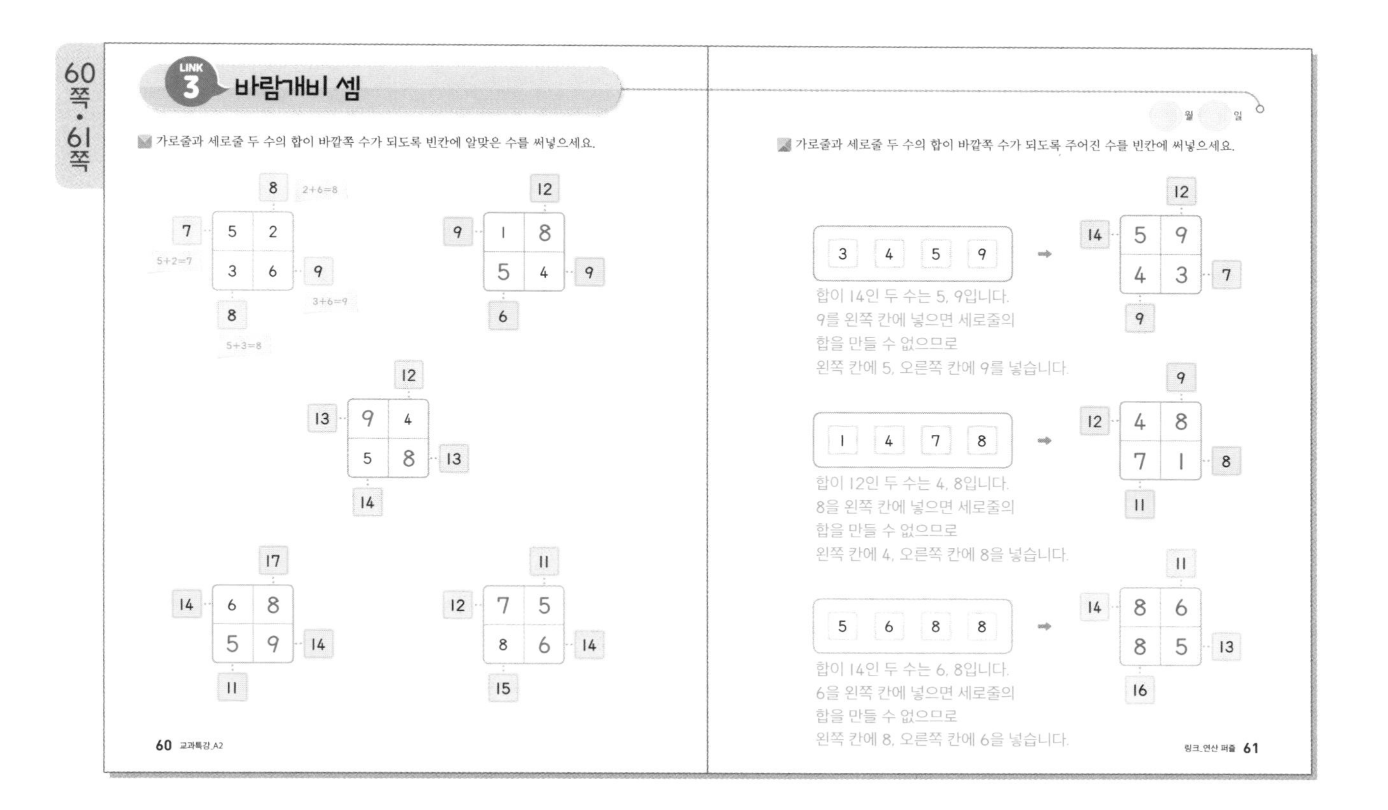

LINK 3 바람개비 셈

가로줄과 세로줄 두 수의 합이 바깥쪽 수가 되도록 빈칸에 알맞은 수를 써넣으세요.

| 7 | 5 | 2 | |
|---|---|---|---|
| | 3 | 6 | 9 |

위: 8 (2+6=8), 아래: 8 (5+3=8), 5+2=7, 3+6=9

| 9 | 1 | 8 | |
|---|---|---|---|
| | 5 | 4 | 9 |

위: 12, 아래: 6

| 13 | 9 | 4 | |
|---|---|---|---|
| | 5 | 8 | 13 |

위: 12, 아래: 14

| 14 | 6 | 8 | |
|---|---|---|---|
| | 5 | 9 | 14 |

위: 17, 아래: 11

| 12 | 7 | 5 | |
|---|---|---|---|
| | 8 | 6 | 14 |

위: 11, 아래: 15

60 교과특강 A2

월 일

가로줄과 세로줄 두 수의 합이 바깥쪽 수가 되도록 주어진 수를 빈칸에 써넣으세요.

3 4 5 9 ➡

| 14 | 5 | 9 | |
|---|---|---|---|
| | 4 | 3 | 7 |

위: 12, 아래: 9

합이 14인 두 수는 5, 9입니다.
9를 왼쪽 칸에 넣으면 세로줄의
합을 만들 수 없으므로
왼쪽 칸에 5, 오른쪽 칸에 9를 넣습니다.

1 4 7 8 ➡

| 12 | 4 | 8 | |
|---|---|---|---|
| | 7 | 1 | 8 |

위: 9, 아래: 11

합이 12인 두 수는 4, 8입니다.
8을 왼쪽 칸에 넣으면 세로줄의
합을 만들 수 없으므로
왼쪽 칸에 4, 오른쪽 칸에 8을 넣습니다.

5 6 8 8 ➡

| 14 | 8 | 6 | |
|---|---|---|---|
| | 8 | 5 | 13 |

위: 11, 아래: 16

합이 14인 두 수는 6, 8입니다.
6을 왼쪽 칸에 넣으면 세로줄의
합을 만들 수 없으므로
왼쪽 칸에 8, 오른쪽 칸에 6을 넣습니다.

링크 연산 퍼즐 61

## 형성평가

64쪽 · 65쪽

### 형성평가 1회

맞힌 문항 수: / 6문항

**1** 숫자 카드 2장을 사용하여 만들 수 있는 두 자리 수 중에서 큰 수와 작은 수를 각각 써 보세요.

3 7

큰 수: ( 73 )
작은 수: ( 37 )

**2** 숫자 카드 3장 중 2장을 골라 더합니다. 나올 수 있는 합에 모두 ○표 하세요.

6 8 9

13 (14) (15) 16 (17) 18

6+8=14, 6+9=15, 8+9=17

**3** 숫자 카드 4장 중 2장을 사용하여 차가 가장 작은 식을 만들고 계산해 보세요.

1 4 7 9

9 − 7 = 2

차가 가장 작으려면 가장 가까운 두 수의 차를 구합니다.

**4** 숫자 카드 3장 중 2장을 사용하여 만들 수 있는 두 자리 수 중 짝수를 모두 써 보세요.

0 3 6

( 30 , 36 , 60 )

만들 수 있는 두 자리 수: 30, 36, 60, 63 → 짝수: 30, 36, 60

**5** 숫자 카드 3장 중 2장을 사용하여 만들 수 있는 두 자리 수 중 십의 자리 숫자가 7이면서 76보다 작은 수를 써 보세요.

4 7 8

( 74 )

십의 자리 숫자가 7인 수: 74, 78 → 76보다 작은 수: 74

**6** 숫자 카드 4장 중 3장을 사용하여 계산 결과가 가장 큰 식을 만들고 계산해 보세요.

2 3 5 6

6 + 5 − 2 = 9
또는 5 6 2

가장 큰 수와 둘째로 큰 수를 더하고 가장 작은 수를 뺍니다.

64 교과특강_A2 | 형성평가 1회 65

66쪽 · 67쪽

### 형성평가 2회

맞힌 문항 수: / 6문항

**1** 주어진 숫자 카드를 하나의 식에 한 번씩 사용하여 덧셈식과 뺄셈식을 만들어 보세요.

1 7 8 9

8 + 9 = 17
또는 9 8 17

17 − 8 = 9
또는 17 9 8

**2** 숫자 카드 3장 중 2장을 사용하여 만들 수 있는 가장 작은 두 자리 수를 써 보세요.

7 1 5

( 15 )

만들 수 있는 두 자리 수를 가장 작은 수부터 차례로 쓰면 15, 17, 51, 57, 71, 75입니다.

**3** 숫자 카드 4장 중 2장을 사용하여 합이 가장 큰 식을 만들고 계산해 보세요.

8 2 5 7

8 + 7 = 15
또는 7 8 15

합이 가장 크려면 가장 큰 수와 둘째로 큰 수를 구합니다.

**4** 숫자 카드 4장을 한 번씩 사용하여 식 2개를 완성해 보세요.

5 6 7 8

5 + 7 = 12
또는 7 5

14 − 6 = 8
또는 8 6

**5** 숫자 카드 3장 중 2장을 사용하여 만들 수 있는 두 자리 수는 모두 몇 개일까요?

0 2 5

( 4 )개

만들 수 있는 두 자리 수: 20, 25, 50, 52

**6** 조건에 맞는 수를 구해 보세요.

- 70보다 크고 80보다 작습니다.
- 일의 자리 숫자가 십의 자리 숫자보다 더 큽니다.
- 짝수입니다.

( 78 )

70보다 크고 80보다 작은 짝수: 72, 74, 76, 78
→ 일의 자리 숫자가 십의 자리 숫자보다 큰 수: 78

66 교과특강_A2 | 형성평가 2회 67

초등 수학 핵심파트 집중 완성 교과특강

# "교과수학을 완성합니다."

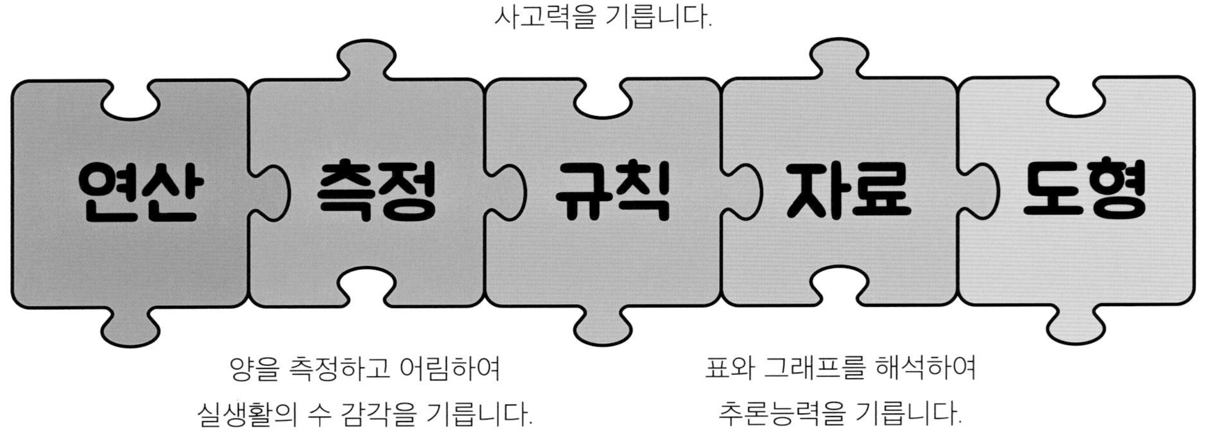

수와 도형의 배열에서 규칙을 찾아
사고력을 기릅니다.
연산
측정
규칙
자료
도형
양을 측정하고 어림하여
실생활의 수 감각을 기릅니다.
표와 그래프를 해석하여
추론능력을 기릅니다.